LES PUBLICATIONS DU QUÉBEC
1500 D, rue Jean-Talon Nord, Sainte-Foy (Québec) G1N 2E5

VENTE ET DISTRIBUTION
Case postale 1005, Québec (Québec) G1K 7B5
Téléphone: (418) 643-5150, sans frais, 1 800 463-2100
Télécopieur: (418) 643-6177, sans frais, 1 800 561-3479
Internet: http://www.publicationsduquebec.gouv.qc.ca

Le contenu cette publication a été réalisée
par l'**Office des services de garde à l'enfance**
Direction **Recherche et information**

et

Raquel Betsalel-Presser, Ph. D. (Sciences de l'éducation, U. de Montréal)
Professeure agrée
Faculté des sciences de l'éducation
Université de Montréal

Denise Garon, Ph. D. (Sciences de l'éducation, U. Laval)
Professeure en techniques de services
de garde d'enfants
Cégep Sainte-Foy

Photographies :
Ministère des Communications du Québec
Office des services de garde à l'enfance

Cette édition a été produite par
Les Publications du Québec
1500 D, rue Jean-Talon Nord, 1er étage
Sainte-Foy, (Québec)
G1N 2E5

Note : *Le 2 juillet 1997 était créé le ministère de la Famille et de l'Enfance qui regroupait l'Office des services de garde à l'enfance et le Secrétariat à la famille.*

Dépôt légal – 4e trimestre 1984
Bibliothèque nationale du Québec

ISBN 2-551-08972-7
ISBN 2-551-08971-9 (série)

Raquel Betsalel-Presser et Denise Garon

Collection
Ressources
et petite enfance

VOLET 1

L'âge
de la recherche
de l'identification
de 1 mois à 24 mois

LES PUBLICATIONS DU QUÉBEC

Québec

Avant-propos

L'Office des services de garde à l'enfance, organisme chargé par la loi sur les services de garde à l'enfance de veiller à ce que soient assurés des services de garde à l'enfance de qualité, se doit d'offrir un soutien technique et professionnel aux organismes et personnes oeuvrant dans ces services.

Dans cet esprit et devant la popularité de l'édition de rodage de «La garderie une expérience de vie pour l'enfant» publiée en 1976, l'Office proposait aux auteures de revoir le contenu et de l'actualiser en vue d'éditer à nouveau le document. Avec la collaboration de la Direction générale des publications gouvernementales (ministère des Communications du Québec), cette réédition était l'occasion de donner à ces ouvrages de référence un format plus pratique à consulter.

Maintenant en trois volets, « La garderie, une expérience de vie pour l'enfant » est publiée dans la collection « Ressources et petite enfance » à laquelle viendront s'ajouter d'autres ouvrages se voulant des outils et des instruments de travail à l'intention de toutes les personnes concernées par le développement des enfants de moins de six ans.

Nous tenons à remercier chaleureusement les auteures, Denise Garon et Raquel Betsalel-Presser, pour le sérieux et la compétence dont elles ont fait preuve dans la révision et l'actualisation de cette nouvelle édition. Denise Trudel, agente d'information à l'Office, les a accompagnées en leur apportant un soutien technique dans cette longue démarche qui nous conduit aujourd'hui à la publication de cet ouvrage.

Ces publications sont un témoignage concret de la collaboration entre les divers intervenants des milieux de l'éducation, de la recherche et l'Office des services de garde à l'enfance.

Nous osons croire que «La garderie une expérience de vie pour l'enfant» s'avérera un outil efficace pour tous ceux et celles qui, oeuvrant auprès des jeunes enfants, sont soucieux de leur offrir un cadre de vie pleinement adapté à leurs besoins.

Renée Spain, directrice
Recherche et information
Office des services de garde à l'enfance

Table des matières

Présentation générale des trois volets

Volet I

Âge de la recherche de l'identification

Page

Liste des tableaux

Volet I

IE

Introduction

Depuis la première édition de rodage de *La garderie, une expérience de vie pour l'enfant* (1976)[1], des événements importants en matière de services de garde ont marqué l'évolution des ressources destinées à la petite enfance au Québec. Sans doute, le point tournant de l'histoire de ces services est lié au rapport du Comité interministériel sur les services d'accueil à la petite enfance (1978), suivi en 1979 de la loi 77, qui institue l'Office des services de garde à l'enfance. En 1980, cet organisme devient responsable d'appliquer la loi et de promouvoir cinq catégories de services de garde[2], c'est-à-dire le service de garde en garderie de jour, le service de garde en milieu familial, le service de garde en milieu scolaire, la halte-garderie et le jardin d'enfants. Une telle variété de services de garde possibles représente une richesse autour des ressources disponibles à long terme. Chacune d'elle ayant été conçue en vue de répondre aux demandes, aux priorités et aux besoins des familles à l'égard de leur enfant, cette variété témoigne d'un souci de pluralisme offrant un certain choix en fonction du type de support recherché par les parents. Ainsi, les familles qui réclament un service de garde pendant toute la journée peuvent faire appel à la garderie ou au service de garde en milieu familial en tenant compte, d'une part, des valeurs qu'elles privilégient et, d'autre part, de l'existence de ces services dans leurs quartiers ou dans leurs milieux de travail. De plus, le jardin d'enfants et la halte-garderie, suivant leur philosophie spécifique, offrent un programme plus court (généralement 2 à 3 heures par jour pour le premier, et à une fréquence et une durée intermittente pour le deuxième).

En conséquence, la présente version révisée et actualisée de *La garderie, une expérience de vie pour l'enfant* tient à maintenir son but premier, c'est-à-dire celui d'offrir un instrument de travail permettant de mieux adapter les interventions auprès des jeunes enfants. Dans le même sens, la nouvelle version se propose de rejoindre toutes les personnes concernées par la qualité du développement des moins de 6 ans, que ce soit dans une situation régulière ou occassionnelle de vie collective ou dans une relation individuelle avec un enfant de cet âge.

Cette série peut constituer, dans un sens large, une ressource pour des personnes impliquées dans des milieux hospitaliers, des cliniques, des classes maternelles, des terrains de jeu, des programmes récréatifs, et dans des programmes de formation et de perfectionnement du personnel destiné à la petite enfance. Somme toute, **c'est l'enfant d'âge préscolaire qui est le pivot de ce document, quelle que soit la nature du programme fréquenté**.

De plus, cette nouvelle version offre aux responsables de la formation et du perfectionnement des éducateurs[3] en service de garde l'occasion de mieux définir les multiples concepts issus des recherches portant sur le développement psycho-moteur et social de l'enfant et de les appliquer tout en tenant compte du contexte particulier dans lequel ils travaillent.

1. Nicole Ouimet-Malo, du ministère des Affaires sociales, a participé à la rédaction de cette édition.
2. En septembre 1983, les articles 5 et 6 de la Loi sur les services de garde à l'enfance portant sur les haltes-garderies et les jardins d'enfants ne sont pas encore en vigueur.
3. Afin de simplifier la lecture de ce texte, le terme éducateur sera utilisé, qu'il s'agisse d'une éducatrice ou d'un éducateur, et ce, quel que soit son statut professionnel.

Plusieurs réalisations québécoises et étrangères ont contribué, depuis 1976, à améliorer la qualité des services offerts à la petite enfance ; des publications concernant la situation des garderies au Québec, des guides portant sur des aspects de la santé et sur la vie de groupe en garderie ont aidé le personnel et les usagers des services de garde à être plus conscients des caractéristiques de ce milieu de vie. Il faut souligner également qu'une plus grande quantité de livres et de périodiques en langue française touchant ce domaine devient accessible au personnel et aux parents, et leur permet de mieux se renseigner. La démarche entreprise s'inscrit donc dans un courant de réflexion et d'application résolument actuel.

Objectifs généraux

Cette mise à jour de *La garderie, une expérience de vie pour l'enfant* veut rejoindre un grand public par le biais d'une documentation vaste et complexe concernant la petite enfance. Bien qu'il ne soit pas question de procéder à une analyse exhaustive des publications, les données issues des études les plus récentes seront synthétisées et intégrées suivant un esprit analogue à celui de la première version. En définitive, il s'agit de compléter les connaissances de l'univers de l'enfance et d'aborder des éléments de réflexion sur les changements vécus par les adultes, lorsqu'ils se trouvent dans un processus de développement professionnel.

En outre, cette nouvelle version se propose de favoriser l'auto-analyse, la réflexion, l'interaction et l'auto-évaluation du lecteur dans une perspective de croissance personnelle et professionnelle. En effet, les éducateurs en garderie ont maintenant suffisamment de recul et d'expérience pour mener une réflexion susceptible de les amener vers une analyse de leurs interventions pédagogiques. Dans le même sens, bien souvent des éducateurs recherchent un support auprès de leurs collègues, ou bien ils se tournent vers d'autres ressources dans le milieu. Cette série espère donc déclencher chez les éducateurs de la petite enfance une démarche de réflexion, à partir du contenu présenté et à l'aide de références incluses.

De plus, ce document peut être utilisé dans le but d'améliorer le niveau de communication entre les différents intervenants de la petite enfance ; grâce à une ressource commune, éducateurs et parents pourraient maintenir un esprit complémentaire à partir d'interactions quotidiennes avec le jeune enfant, de manière à favoriser le dialogue entre eux ainsi qu'une continuité entre les deux milieux de croissance.

En résumé, cet instrument de travail cherche à orienter les adultes engagés dans une situation éducative auprès de l'enfant d'âge préscolaire afin d'assumer les objectifs suivants :

- Assurer à l'enfant des expériences positives sur les plans physique, psychologique et social ; compte tenu de l'âge de l'enfant et du temps passé à la garderie, la qualité des services offerts est de première importance.
- Aider à situer l'enfant dans l'ensemble de son développement par rapport aux autres enfants.

- Aider à définir les éléments d'organisation d'une garderie par rapport aux besoins des enfants qui la fréquentent.

- Amener l'adulte à tirer profit des situations quotidiennes de façon à les rendre significatives pour tous les enfants et à développer leur autonomie et leur esprit créateur.

- Concilier les valeurs éducatives préconisées dans la famille et à la garderie.

- Établir une continuité dans la qualité des services entre la garderie et l'école.

Structure des trois volets

Selon les remarques présentées par certains lecteurs de l'édition du rodage, le format en deux tomes de l'édition originale s'avérait difficile à manipuler. Une nouvelle présentation a donc été conçue dans le but de favoriser la lecture selon les niveaux d'âge recherchés par le lecteur. C'est ainsi que l'idée d'une série de trois volets directement interreliés a été retenue. Chaque volet est regroupé à partir de caractéristiques propres à l'évolution de l'enfance :

- *l'âge de la recherche de l'identification* : **de un à vingt-quatre mois**, subdivisé en 4 sous-catégories : de un à six mois, de sept à douze mois, de treize à dix-huit mois, et de dix-neuf à vingt-quatre mois ;

- *l'âge de la démarche vers l'autonomie* : **de deux à quatre ans**, subdivisé en 3 sous-catégories : de deux à deux ans et demi, de deux ans et demi à trois ans, et de trois à quatre ans ;

- *l'âge de la conquête de l'initiative* : **de quatre à six ans**, subdivisé en 2 sous-catégories : de quatre à cinq ans et de cinq à six ans[4].

Ces catégories d'âge ne sont évidemment pas rigides. Elles regroupent les grands événements du développement de l'enfant et sont tributaires du processus de maturation qui s'opère de façon relativement universelle chez tous les enfants, mais à des rythmes différents. Elles doivent donc être considérées comme des points de repère. Pour chaque catégorie d'âge, les aspects suivants ont été retenus :

- le développement sensorimoteur ;
- le développement socio-affectif ;
- le développement du langage verbal ;
- les activités physiologiques.

Il devient donc essentiel de tenir compte, à la fois, de l'ensemble de la catégorie d'âge qui intéresse le lecteur et des sous-catégories de niveaux d'âge précédant ou suivant ledit niveau. Ces aspects du développement n'ont qu'une fonction d'organisation pour fins d'étude, mais ils sont toujours considérés comme intimement interreliés à l'ensemble du développement. À titre d'exemple, lorsque sur le plan

4. Il convient de souligner, cependant, qu'une attention particulière devrait être accordée dans un prochain document à la catégorie de cinq à six ans car il s'agit d'enfants qui sont souvent accueillis simultanément par une double organisation institutionnelle susceptible de rendre l'approche éducative relativement ambiguë et complexe, c'est-à-dire la maternelle et la garderie.

moteur l'enfant effectue un nouveau mouvement, c'est toute sa personne, et éventuellement son entourage, qui s'en ressentira ; l'enfant éprouvera le sentiment « d'avoir atteint un nouveau jalon dans la croissance » par les nouvelles possibilités d'autonomie que le mouvement en question met à sa portée et il peut utiliser cette nouvelle capacité d'entrer en relation avec les autres. Il est donc très important de préserver constamment cette interrelation entre chaque aspect du développement. C'est ainsi que chacun des volets présente systématiquement une démarche théorique et une démarche pratique, propre au niveau d'âge traité, même si celles-ci ne sont pas identifiées en tant que telles.

Dans un premier temps, **les aspects généraux du développement de l'enfant** familiarisent le lecteur avec les caractéristiques sensorimotrices, socio-affectives, langagières et les activités physiologiques qui marquent le développement de l'enfant de **un mois à six ans**.

Cette vue d'ensemble du développement de l'enfant d'âge préscolaire conduit, par la suite, au contenu de chaque volet selon la catégorie d'âge traitée. Ainsi, chacun des trois volets présente le portrait de l'enfant et la banque de ressources appropriées à l'âge.

Le portrait de l'enfant trace un profil sommaire du développement selon l'âge spécifique traité dans un volet en particulier (ex. : portrait de l'enfant de deux à quatre ans, l'âge de la démarche vers l'autonomie).

Suivant ce portrait, la **banque de ressources** développe en détail les sous-catégories d'âge en question.

En premier lieu, cette banque de ressources présente un tableau synthèse d'un aspect précis du développement selon la sous-catégorie d'âge respective (ex. : développement sensorimoteur de l'enfant de quatre à cinq ans).

Le tableau synthèse est composé d'énoncés théoriques qui ont été empruntés à diverses études scientifiques [4]. Ils précisent les principales caractéristiques identifiées dans chaque portrait de l'enfant. De plus, ces énoncés théoriques constituent la base de toutes les démarches pratiques qui les suivent. Toutefois, il est très important d'insister sur le fait que les synthèses et les énoncés théoriques doivent servir avant tout de points de repère destinés à mieux comprendre les comportements des enfants et à les situer dans leur processus individuel de maturation. **Il ne faudra donc jamais les utiliser comme grille d'évaluation**. Si des enfants présentent des difficultés particulières, il faut consulter des spécialistes qui les évalueront à l'aide d'instruments précis dont ils connaissent la valeur et la portée.

Par ailleurs, la démarche pratique, qui est présentée sous forme de **situations**, **attitudes** et **organisation matérielle**, constitue une sorte d'intégration des fondements inhérents d'un programme de garderie ; en d'autres termes, elles correspondent à l'ensemble indissociable des dimensions humaines, pédagogiques et environnementales proprement dites. Bref, la banque de ressources suivra toujours la séquence suivante :

---

4. Voir références et lectures recommandées à la fin du volet.

- tableau synthèse ;
- âge ;
- aspect du développement ;
- énoncé théorique ;
- situations ;
- attitudes ;
- organisation matérielle.

Afin d'établir clairement l'importance d'une interrelation entre les composantes théoriques et pratiques, la description suivante des trois axes de cette dernière dimension tentera de consolider l'orientation donnée à *La garderie, une expérience de vie pour l'enfant*.

La dimension humaine

L'enfant est l'élément central du service de garde. Il y arrive avec ses aptitudes, ses antécédents familiaux et ses besoins. Il est, par ailleurs, encore dépendant de l'adulte qui lui sert de point de référence et de modèle de comportement autant que de secours et de soutien. Il a des besoins qu'il ne peut satisfaire seul et qu'il peut parfois difficilement exprimer. Les activités doivent donc être organisées en fonction de lui.

Par ailleurs, la garderie se caractérise par le regroupement d'enfants et, en conséquence, la vie de groupe devient une réalité importante. L'enfant est en effet confronté à d'autres pairs qui, à cause de leur âge, ont des besoins et des appréhensions à la fois analogues et différents. Cela exige de chacun (enfants et adultes) un ajustement constant et un certain apprentissage de la tolérance et de la coopération. L'enfant d'âge préscolaire est au coeur du processus de socialisation qui lui crée souvent des difficultés d'adaptation (partager des jouets, attendre son tour, contrôler ses impulsions, etc.). Cependant, malgré le fait que le jeune enfant est incapable de partager toutes les activités collectives, le groupe est pour lui une source à la fois de contraintes et d'apprentissages très positifs. Il faut être aussi conscient que le groupe est une entité en soi qui conditionne le comportement des adultes et l'organisation de la garderie.

Les éducateurs sont les adultes qui influencent le plus le fonctionnement et le caractère propre de la garderie. En effet, à cause de l'importance de l'adulte pour l'enfant et du pouvoir de l'éducateur de choisir son mode d'intervention, il modèle directement le climat de la garderie et la qualité des relations. Son attitude et son comportement, le type d'activités qu'il suggère ou impose, les réponses de l'enfant qu'il suscite ou accepte, le degré et le type de communication qu'il privilégie sont autant de facteurs qui marquent le développement, et davantage le comportement des enfants.

Cette responsabilité doit être partagée par la personne responsable des programmes dont l'attitude et l'intervention en rapport avec les programmes, les horaires, l'organisation physique et matérielle déterminent le comportement du personnel. Son degré d'implication auprès des enfants peut également en faire une figure importante pour ces derniers.

Le personnel de la garderie a la responsabilité d'organiser les activités de la journée de façon à respecter autant que possible les besoins de chaque enfant.

Selon leur disponibilité, les parents peuvent aussi devenir une composante du monde de la garderie. On devrait encourager leur participation aux activités et tirer profit de leurs aptitudes ou talents particuliers.

La dimension pédagogique

L'importance accordée à la dimension humaine explique la place privilégiée réservée à l'enfant et à l'intervenant adulte dans les situations suggérées. Les éléments théoriques présentés dans la banque de ressources accordent une large place à l'interaction directe entre l'éducateur et l'enfant ; ces lignes directrices se prolongent en **situations** concrètes et en **attitudes** générales que l'intervenant adulte pourra adapter selon son style de personnalité et suivant son propre rythme. Les situations correspondent à une application concrète de la dimension pédagogique. Ce sont des jeux, des activités spontanées de l'enfant que l'éducateur utilise afin de favoriser le développement d'une habileté ou d'une capacité précise. Les situations peuvent aussi correspondre à des activités proposées et orientées par l'éducateur dans le but d'aider l'enfant à aborder ou à raffiner une acquisition spécifique lorsque le progrès de l'enfant réclame le support de l'adulte ; afin de conserver une certaine unité de présentation, les situations sont décrites en terme d'actions à faire, de gestes à poser, etc., mais une telle démarche n'est pas synonyme d'interventions rigoureuses ou rigides. En effet, l'éducateur reste le seul juge pour décider du moment qui convient, de la manière de présenter l'activité et de la pertinence de cette intervention. À titre d'exemple, s'il est proposé de prendre le bébé, de stimuler son regard par des jeux spécifiques, il va sans dire que c'est l'éducateur qui adapte une telle proposition comme et quand il convient.

Les situations et les activités proposées constituent des suggestions non exhaustives ; elles servent de point de départ à la réflexion et à la création d'autres situations susceptibles de stimuler le développement de l'enfant. Elles ne doivent donc pas être utilisées dans l'esprit de «**trucs**» ou de «**recettes pédagogiques**» et il s'avère important d'adapter les situations à chaque cas particulier.

De plus, il faut préciser que le concept de programme, utilisé parfois dans le présent ouvrage, doit être compris dans le sens large du terme. En effet, il fait référence à une conception globale (écologique) du milieu de la garderie, c'est-à-dire à l'ensemble des composantes humaines, matérielles et pédagogiques qui affectent la qualité de vie de l'enfant. En aucun cas, il ne faut interpréter la portée du concept de programme dans une perspective étroite, n'incluant que des activités dirigées. Tout élément du milieu peut devenir une composante des activités vécues en garderie (jeux spontanés, routines quotidiennes, etc.) et les buts poursuivis peuvent être multiples :

- Amener l'enfant à poser des actes de plus en plus autonomes et à développer le sens de la liberté et de la responsabilité.

- Amener progressivement l'enfant à penser et à exprimer sa pensée.

- Aider l'enfant à progresser dans la prise de conscience de lui-même comme personne humaine et morale, et dans sa compréhension de l'univers qui l'entoure.

- Permettre à l'enfant d'exprimer ses émotions et l'aider à les contrôler et à les orienter.

Somme toute, à l'intérieur d'un programme, les situations visent à favoriser la réflexion et l'analyse des formes d'interventions que chaque adulte adopte auprès de l'enfant. L'intervention est perçue à la fois en termes d'acte pédagogique auprès des jeunes et de support à la famille, qui peut adopter des attitudes analogues. Par ailleurs, les attitudes proposées dans les situations concrètes indiquent, dans le même sens, des pistes pédagogiques qui ne visent pas à modeler les comportements des adultes, mais plutôt à suggérer des approches respectueuses d'une philosophie d'intervention non directive. Une telle démarche permet à l'éducateur de mieux se situer en tenant compte des limites de sa propre personnalité ; l'auto-évaluation nécessaire à une telle approche rend possible une constante remise en question du rôle d'éducateur.

À la fin de chaque volet, des éléments de réflexion permettent de susciter chez l'éducateur une démarche d'évaluation personnelle, d'observation de l'enfant et d'interactions enfants-adultes-enfants.

Enfin, il faut souligner que toute activité d'un programme doit toujours découler de trois considérations fondamentales :

a) les besoins de l'enfant (âge et caractéristiques) ;

b) la nature du service de garde et les besoins des parents (garderie de jour, service de garde en milieu familial, jardin d'enfants, etc.) ;

c) le contexte général de la garderie comme milieu de vie : la situation géographique, le personnel, la place des parents, les locaux et les activités prévues.

La dimension environnementale

L'enfant se situe par rapport aux personnes, mais également par rapport au milieu physique (espace et objets surtout). Il y trouve des points de repère qui le sécurisent et aussi une source de découvertes qui stimulent son développement. L'aménagement du milieu physique est donc important. La garderie doit offrir aux enfants des espaces adaptés à leurs besoins, espaces qui tiennent compte de leur stade de développement et leur facilitent ainsi leur conquête de l'autonomie tant physique (capacité de déplacement), physiologique (alimentation, repos, propreté), que psychologique (capacité de choisir, etc.). L'organisation spatiale doit aussi être sécurisante (leur permettre la formation d'une image positive de soi, des autres, du milieu, etc.) et stimulante (encourager l'exploration, la découverte, favoriser les apprentissages).

L'aménagement doit également assurer la continuité : prévoir des espaces familiers établissant une continuité entre la famille et la garderie (espaces pour dormir, manger, jouer, etc.) ; planifier des espaces familiers correspondant aux normes du milieu, conformes au site de la garderie, pour éviter de créer des problèmes d'adaptation.

En plus des considérations sur l'espace intérieur et extérieur de la garderie, la dimension environnementale se réfère à l'utilisation du matériel comme source de stimulation pour l'enfant. Bien que la qualité du matériel soit un élément primordial pour favoriser une santé physique et mentale équilibrée, ce matériel perd sa valeur intrinsèque lorsque l'adulte néglige de le rendre accessible à l'enfant. C'est donc dans un esprit de ressource secondaire, associée à l'interaction éducateur-enfant, que l'utilisation du matériel est ici suggérée.

La pédagogie du quotidien.

Les services de garde doivent assurer la sécurité physique et émotive des enfants. Pour cela, il devient essentiel de prévoir des activités adaptées à leurs capacités et une certaine régularité afin de faciliter leur intégration. De plus, il est aussi important de planifier des activités de transition de façon à réduire les dangers de surexcitation et de désordre, surtout lors de périodes plus difficiles (avant le repas, période de rangement, etc.).

Les activités doivent également présenter suffisamment de souplesse pour permettre à l'enfant de se découvrir, de choisir ses jeux et ses amis et de faire varier ses intérêts au rythme de sa capacité de concentration et d'attention. S'adaptant à l'âge et au niveau de développement des enfants, ces activités doivent assurer un certain équilibre entre les périodes de détente et les périodes de jeux stimulantes, les situations individuelles et les situations collectives, les jeux dirigés et les jeux libres.

Les activités en garderie devraient permettre aux enfants d'apprendre au rythme des situations vécues naturellement. Dans cette perspective, il est important de prévoir une variété d'expériences qui favorisent la créativité et l'expression de l'enfant. Le jeu y tient une place de première importance puisqu'il est, pendant toute l'enfance, le pivot de l'apprentissage et qu'il favorise le développement de l'intelligence, de la motricité, du langage et de la socialisation.

La garderie prévoit aussi des occasions de stimuler le développement d'habiletés précises reliées aux soins personnels, c'est-à-dire d'amener l'enfant à une autonomie progressive sur le plan de l'alimentation, de l'hygiène et du repos.

La garderie doit reconnaître aux parents leur rôle et leurs responsabilités et respecter autant que possible les valeurs du milieu d'origine. Elle encourage donc les parents qui le peuvent à participer aux activités de la garderie ou à échanger avec les responsables pour assurer une certaine continuité des soins.

Aspects généraux du développement de l'enfant de un mois à six ans

Les caractéristiques de l'enfant d'âge préscolaire

Tel que précisé auparavant, quatre aspects du développement ont été retenus pour les fins de cette série : le développement sensorimoteur, le développement socio-affectif, le développement du langage verbal et les activités physiologiques. Cette division peut, sur bien des plans, être critiquée, et d'autres formules auraient pu tout aussi bien être choisies. Il est cependant apparu important de se limiter à des secteurs facilement observables et d'intégrer des concepts plutôt abstraits à des situations concrètes. Tel est le cas pour les concepts de la conscience de soi et le développement de l'intelligence en tant que tels. La découverte de soi se fait par l'intermédiaire du contact de l'enfant avec le milieu humain et physique. C'est à travers son développement sensorimoteur et physiologique (habitudes alimentaires, hygiéniques et de repos) que l'enfant découvre son corps avec ses possibilités et ses limites. C'est par son contact avec ses pairs et avec les adultes qu'il apprend à se définir comme individu et comme être social à la fois capable d'agir, de réagir et de communiquer. Tous les moments de sa vie contribuent à parfaire sa connaissance de soi. Rendre l'enfant plus conscient de lui-même et développer sa compétence à tous les niveaux devient ainsi l'objectif général à l'intérieur de toutes les activités d'une journée. On retrouvera donc dans les quatre aspects présentés des références à cet objectif fondamental.

Il en est de même pour le développement de l'intelligence. L'enfant d'âge préscolaire n'a pas atteint le niveau de la logique abstraite, il ne fonctionne qu'à partir de son contact avec le milieu humain et physique qui lui permet d'observer, de reconnaître, de se rappeler, d'associer ou de dissocier, de comparer, etc. Ces actions se retrouvent continuellement dans les activités des enfants et c'est pourquoi elles ont également été intégrées aux quatre aspects du développement.

Ce document veut mettre l'accent sur l'importance, pour un programme de garderie, de faire vivre des situations qui rejoignent le développement global, intégral des enfants et de *favoriser nettement le processus de développement plutôt que le produit résultant d'une action*. En d'autres termes, *l'habileté que l'enfant développe dans une activité doit avoir priorité sur la qualité physique ou plastique du produit qui en découle*.

On sait maintenant que tout apprentissage se fait par une expérience. L'enfant doit pouvoir s'essayer plusieurs fois, répéter, recommencer, se tromper pour parvenir à maîtriser une habileté quelconque ; il faut apprécier l'énergie déployée par l'enfant dans cette démarche de croissance physique et mentale. On reconnaît par là l'importance des premières années de la vie pour l'ensemble du développement et la nécessité de ne négliger aucun des éléments impliqués dans ce long processus.

Le développement sensorimoteur

L'organisation progressive des gestes, des déplacements, des actions d'un enfant au cours des premières années de sa vie est marquée par une double caractéristique : les habiletés sensorielles et motrices. Elles sont en effet, à cette étape, un instrument privilégié d'apprentissage. Grâce à la manipulation active, à l'acquisition de mouvements importants (la marche, le saut, la course, etc.), à la répétition d'expériences diverses pour le simple plaisir de l'action, l'enfant évolue à partir des réflexes des débuts de la vie jusqu'à une forme de pensée intériorisée, efficace et bien articulée. Lorsqu'il franchit le seuil de l'école, l'enfant de six ans a emmagasiné, par le biais de gestes, de mouvements et de perceptions sensorielles diverses, un bagage impressionnant de connaissances et d'informations.

Au cours des deux premières années, le nourrisson aborde et contrôle des acquis essentiels ; il reçoit en effet de multiples stimulations sensorielles concernant les objets et apprend à les associer de façon pertinente. Il s'exerce, répète les mêmes gestes et s'intéresse progressivement aux résultats qu'il produit ; ces gestes intentionnels illustrent bien l'intérêt de plus en plus marqué du bébé pour son environnement immédiat. Vers la fin des deux premières années de sa vie, l'enfant a généralement compris que les objets de son environnement sont des réalités permanentes dont l'existence ne dépend pas uniquement de ses propres perceptions qui lui permettent de voir, de toucher, de palper, etc. Le bébé a déjà suffisamment l'expérience de son petit univers pour savoir qu'un objet peut exister même s'il est absent. La compréhension d'une telle réalité (permanence de l'objet) est une compétence préalable à l'acquisition des notions spatiales et temporelles les plus simples. Si l'enfant ne parvient pas à comprendre que les objets autour de lui sont différents de lui-même et indépendants de ses propres perceptions, il ne pourra vraiment pas aborder la nature des choses telles qu'elles existent.

Les sons, les gestes, les mouvements, l'image du corps propre, l'organisation du temps et de l'espace autour de soi sont autant d'aspects qui font l'objet d'une démarche d'apprentissage intense au cours des six premières années de la vie.

Tous ces instruments de connaissance se polissent et se perfectionnent par la suite et contribuent, à l'âge adulte, à l'identification d'une personnalité bien organisée.

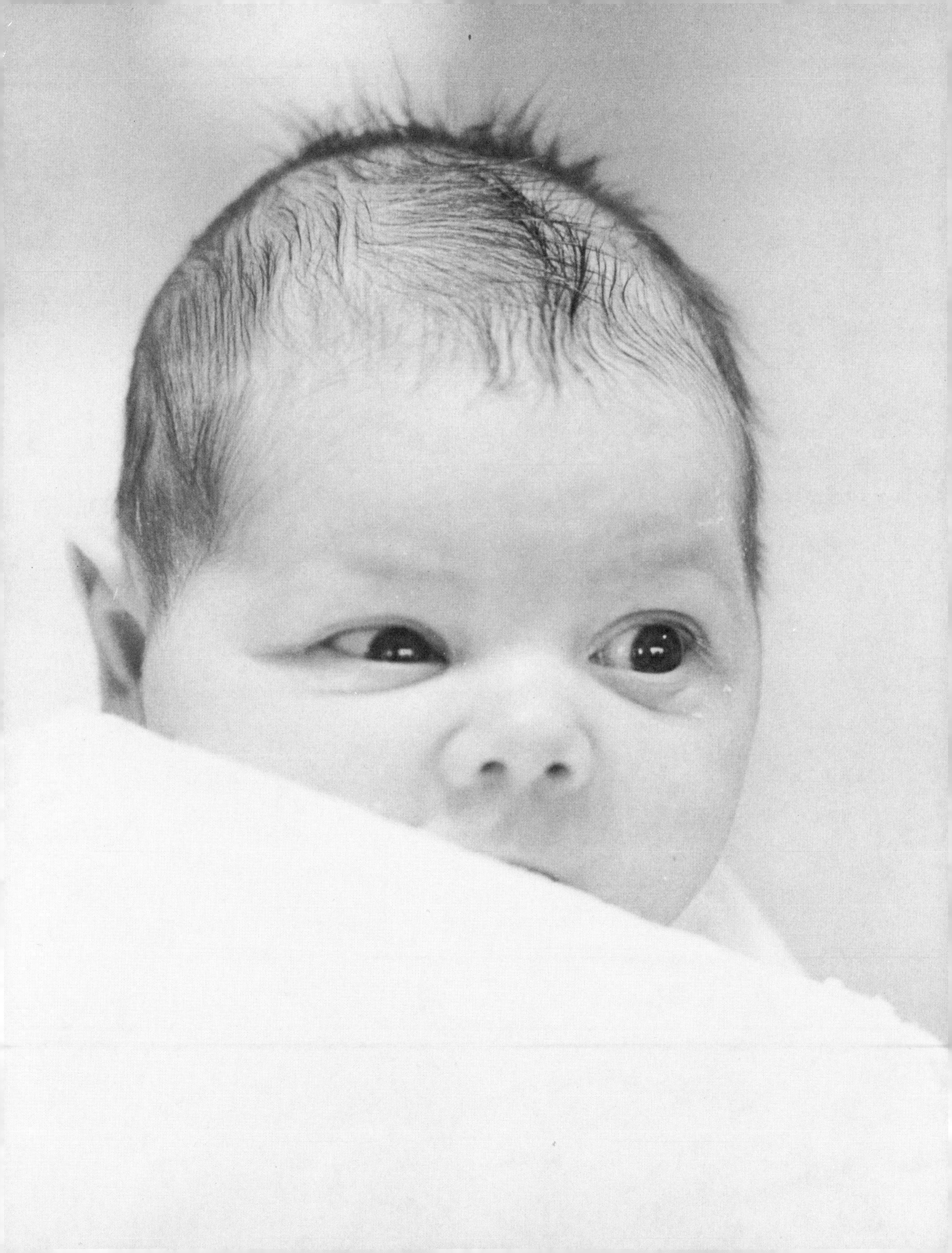

Le développement sensorimoteur de l'enfant de un mois à six ans
(Tableau I)

Le tableau I synthétise les composantes du développement sensorimoteur de l'enfant de un mois à six ans. Il passe en revue les différents sens (la vision, l'audition, le toucher, l'odorat, le goût) et les parties du corps qui rendent possible la préhension et la locomotion. Par ailleurs, l'accent mis sur l'une ou l'autre de ces composantes dépend de chaque groupe d'âge analysé.

Le concept **d'organisation perceptive** fait appel à la capacité de déceler, d'organiser et, éventuellement, d'interpréter une information fournie par l'environnement, à partir de différentes sources sensorielles. Par exemple, lorsqu'un enfant voit un écureuil se promener dans un arbre, il doit faire la démarche suivante avant d'être vraiment capable de décoder et de comprendre la situation qui est devant ses yeux :

— il voit (perception de l'objet) ;
— il fixe le regard (attention visuelle) ;
— il retient l'image (mémoire visuelle) ;
— il distingue l'image de façon sélective pour maintenir l'attention (discrimination visuelle).

Cette séquence dans la démarche d'apprentissage s'organise graduellement chez le jeune enfant et contribue directement au développement de l'intelligence.

Tableau I

Le développement sensorimoteur de l'enfant de un mois à six ans

Organisation perceptive*		Contrôle du geste	Contrôle du corps	Conscience du corps	Organisation de l'espace	Organisation du temps
Vision	**Audition**	**Préhension et manipulation**	**Locomotion**	**Schéma corporel**	**Relations spatiales**	**Relations temporelles**
• perception • attention visuelle • mémoire visuelle • discrimination	• perception • attention auditive • mémoire auditive • discrimination	• acquisition des mouvements de la main • coordination oeil-main • raffinement du mouvement (perception par le toucher)	• acquisition des mouvements • coordination • raffinement du mouvement	• image corporelle • concept du corps (connaissance) • schéma corporel (représentation) • latéralité	• adaptation à l'espace • orientation dans l'espace • acquisition des notions • structuration de l'espace	• adaptation au temps • orientation dans le temps • acquisition des notions • structuration du temps
Ce qui est visible • objet • êtres vivants	**Les sons** • bruits • cris • voix	**Les gestes** • tenir, lâcher, serrer, frapper, lancer, tracer	**Les mouvements** • s'asseoir, se tenir debout, ramper, grimper, marcher, courir, sauter, sautiller, galoper, tirer, pousser.	**Le corps** • et ses parties	**L'espace** • espace vide ou occupé • les objets dans l'espace	**Le temps** • les actions dans le temps
• dimension • couleur • forme • mouvement	• hauteur • intensité • durée • succession	• souplesse • précision • régularité • efficacité (textures, températues, résistance)	• souplesse • précision • rapidité • équilibre	• espace du corps • rythme du corps • possibilités • limites du corps	• **notions de relations :** hauteur, longueur, largeur, grosseur, distance • **notions de positions :** dessus, dessous, à côté, dedans	• durée • vitesse • succession • intervale

* Ce tableau se limite à la vision et à l'audition. La perception par le toucher est incluse dans la section préhension et manipulation. La perception par le goût et l'odorat ne fera pas l'objet d'une présentation particulière.

Le tableau présente également le **contrôle du geste** et le **contrôle du corps** en suivant la même démarche progressive. Le tableau limite ici le geste à la préhension et à la manipulation, ces deux pôles étant considérés dans le présent contexte comme les plus significatifs.

Les trois dernières catégories du tableau, **conscience du corps, organisation de l'espace, organisation du temps,** font appel à la représentation mentale que l'enfant parvient à maîtriser et à l'exploration qu'il fait de lui-même et de son milieu.

Enfin, les deux paliers inférieurs du tableau d'ensemble présentent différents concepts et différentes habiletés qui font l'objet de chacun des aspects à développer. Ainsi, la vision met en cause ce qui est visible, objets ou êtres vivants, et débouche progressivement sur le contrôle des dimensions, des formes, des couleurs, etc. L'audition s'exerce à partir de sons, de bruits, de cris, etc., et permet de maîtriser avec le temps la hauteur, l'intensité, la durée des sons ; le contrôle du geste se développe par des comportements comme tenir, lâcher, serrer, etc., et s'associe à des qualités de souplesse, de précision, de régularité dans les mouvements et ainsi de suite pour chacun des thèmes présentés dans le tableau.

Ce tableau synthèse du développement sensorimoteur de l'enfant de un mois à six ans rassemble donc les principaux concepts qui seront présentés dans la banque de ressources. Il faut remarquer que certains aspects du développement sensorimoteur seront plus accentués que d'autres de manière à tenir compte des âges où ils se manifestent. Ainsi, l'organisation de l'espace et du temps est encore floue chez le nourrisson, mais ces concepts peuvent être davantage analysés à l'âge raffiné de la démarche vers l'autonomie, c'est-à-dire vers trois ans, et plus particulièrement à l'âge de la conquête de l'initiative (de quatre à six ans).

Finalement, le développement du nourrisson (volet I) présente des particularités plus marquées qui ne sont pas incluses dans le tableau[5]. À titre d'exemple, les fiches regroupent les aspects vision - préhension - succion - audition, à cause de la relation extrêmement étroite qui existe entre chacun de ces aspects du développement sensoriel. De plus, la locomotion présente l'évolution de la maîtrise de la tête, de la coordination des membres, de l'acquisition des positions assise et debout et de la marche.

Le développement socio-affectif

L'ensemble des sentiments, des émotions, des attachements et des rejets vécus par l'être humain tisse l'histoire affective personnelle et modifie jusqu'à un certain point la qualité de ses rapports sociaux.

La socialisation est un processus d'apprentissage infiniment complexe qui met en scène à la fois des comportements et des émotions; ainsi, le plaisir, la peur, l'anxiété, la joie ont des effets habituellement observables dans les interactions sociales (mimiques, gestes, sourires). Le jeune enfant doit donc apprendre à

5. Dans la banque de ressources, un tableau synthétique introduit chaque sous-catégorie d'âge en présentant les aspects qui lui sont particuliers.

communiquer ses propres émotions, à comprendre et à bien décoder celles des autres au contact des adultes qui l'entourent et, un peu plus tard, au contact des autres enfants; il acquiert avec le temps des règles de vie, des habitudes sociales, des croyances spécifiques; il endosse aussi progressivement des rôles sociaux conformes au milieu où il vit. Le jeu constitue, au cours des premières années de vie, le pivot même de ces échanges et de ces interactions et il permet à l'enfant d'expérimenter, à la mesure de son âge et de ses propres limites, les plaisirs et les contraintes de la vie collective.

Le développement socio-affectif de l'enfant de un mois à six ans
(Tableau II)

Le tableau II présente l'enfant en interaction avec les adultes et avec les autres enfants. L'expression des émotions, l'attachement ressenti pour les adultes significatifs de son entourage (figures parentales, adultes responsables à la garderie) et l'imitation de ces figures adultes sont autant de formes d'interactions adoptées par les enfants dans leurs rapports avec adultes.

Dans leurs échanges avec les autres enfants, la maîtrise des impulsions, l'agressivité, le besoin de possession, les modes de participation sociale dans le jeu, l'acceptation des règles de groupe, les réactions positives ou négatives face aux autres camarades sont des aspects essentiels de la démarche sociale des enfants en garderie, car ils côtoient plus tôt que les autres les réalités sociales d'un groupe.

Le développement du langage verbal

Le langage verbal est l'instrument privilégié de la communication humaine. Il tient une place primordiale dans les échanges sociaux, et l'apprentissage des formes essentielles des structures linguistiques se fait généralement au cours de la petite enfance.

Certains aspects du développement déjà présentés dans les tableaux précédents sont en rapport étroit avec l'expression verbale; ainsi, l'audition joue un rôle significatif dans la communication verbale et, par le fait même, dans les interactions sociales et affectives. Toutefois, pour unifier les caractéristiques du développement et pour faciliter l'utilisation de l'information spécifique concernant chaque groupe d'âge analysé, les compétences verbales comme telles seront présentées dans un tableau d'ensemble.

Si le langage verbal est l'objet d'une attention particulière, cela n'exclut pas l'importance à accorder aux diverses manifestations du langage corporel car ces signaux, mimiques, intonations, sourires, gestes, mouvements, etc., accompagnent et soutiennent le langage verbal.

Tableau II

Le développement socio-affectif de l'enfant de un mois à six ans

Interaction enfants - adultes			Interaction enfants - enfants		
Manifestations des émotions	**Imitation de l'adulte**	**Apprentissage des rôles sociaux**	**Manifestations des émotions**	**Communication par le jeu**	**Participation à la vie de groupe**
• Expression des émotions	• Compréhension et acceptation des règles des adultes	• Compréhension de la hiérarchie familiale et sociale	• Expression des émotions	• Type de jeu privilégié	• Respect des règles du groupe
• Attachement	• Attrait pour les jeux d'imitation	• Association et compréhension des comportements adultes	• Sentiment de propriété, de possession	• Type de participation aux jeux	• Connaissance et respect des membres du groupe
• Contact avec l'adulte	• Habileté à agir comme les adultes	• Compréhension des rôles sexuels	• Maîtrise des impulsions	• Contacts avec les pairs par le jeu	• Réactions face aux autres et au groupe
		• Connaissance de son identité sociale (nom, adresse, nom des parents, etc.)			• Relations avec les autres

Le langage corporel comporte en effet des centaines de signaux et de multiples combinaisons de mouvements significatifs qu'il est important de reconnaître et de ne pas négliger.

Les éducateurs responsables de groupes de très jeunes enfants devraient être très attentifs à ces modes de communication tels que hochements de tête, gestes d'appaisement, d'offrande ou de soumission. Ces messages corporels peuvent se glisser à tout moment dans les échanges sociaux des bébés et des jeunes enfants, quelles que soient les particularités de chaque étape de développement.

Le développement du langage verbal de l'enfant de deux à six ans
(Tableau III)

Le tableau III présente des éléments concrets d'observation retenus pour illustrer les principales composantes du langage verbal de l'enfant de deux à six ans (volets II et III). Deux pôles significatifs résument cette réalité ; d'une part, la compréhension des fondements linguistiques et, d'autre part, l'application et l'utilisation personnelle faite par les enfants dès la fin de la deuxième année de ces instruments de langage. La compréhension des mots, des phrases, des récits, la sensibilité à diverses formes d'intonation sont autant d'outils nécessaires à l'enfant pour maîtriser progressivement la communication verbale. Par ailleurs, l'imitation adéquate de sons nouveaux, l'utilisation du vocabulaire, l'application pertinente des mots, donnent à l'éducateur l'occasion d'identifier et d'améliorer les compétences ou les faiblesses du langage de l'enfant.

Les activités physiologiques

Le corps humain semble contrôlé par des horloges biologiques qui règlent en partie les cycles d'alimentation, de sommeil et d'élimination. Chez les bébés et les jeunes enfants, ces contrôles internes personnels déterminent les heures de sommeil et de veille, les besoins de nourriture solide et liquide, et l'évacuation des selles et des urines. Tout en suivant les mêmes cycles généraux, tous les enfants conservent pourtant leurs petites habitudes personnelles, leurs points forts et leurs limites particulières sur ce plan. Il est donc important à la fois de connaître les caractéristiques générales correspondant aux grandes étapes de développement communes à l'ensemble des enfants et d'observer avec attention les variantes individuelles.

Cette partie de la démarche d'observation des caractéristiques du développement rassemble les principales facettes des activités physiologiques des jeunes enfants, c'est-à-dire l'alimentation, le sommeil et l'élimination. De plus, à chacune de ces zones d'activités physiologiques correspondent des habitudes de propreté et des soins particuliers.

Tableau III

Le développement du langage verbal de l'enfant de deux à six ans

La compréhension	L'utilisation
— Compréhension des mots : — substantifs — adjectifs — verbes — pronoms	— Utilisation personnelle du langage et imitation des sons — Utilisation des différentes formulations
— Compréhension des phrases : — Interrogations — langage courant	— Utilisation du vocabulaire — Définition des termes
— Compréhension des récits, des histoires	

* Bien que la compréhension du langage verbal débute durant la première année de vie, ce tableau vise à accentuer le processus de décodification mentale qui s'opère vers la fin de la deuxième année. Le développement du langage avant cette période a été intégré au portrait du développement intégral de l'enfant de un mois à vingt-quatre mois.

Les activités physiologiques de l'enfant de un mois à six ans
(Tableau IV)

Le tableau IV résume l'ensemble de ces particularités et les différents aspects dont il faut tenir compte.

La partie consacrée à l'alimentation met l'accent sur les capacités et les habitudes des enfants. Elle ne discute pas de la valeur alimentaire ni des quantités de nourriture à prévoir. Ces aspects sont présentés dans d'autres documents publiés par l'Office des services de garde à l'enfance et préparés par des spécialistes en nutrition. Le moment des repas est une période éminemment propice aux expériences sensorimotrices et socio-affectives, en plus d'avoir une importance évidente pour la santé physique et la croissance de l'enfant. L'attention portée aux enfants pendant cette période est donc très importante.

L'apprentissage du contrôle de l'intestin et de la vessie tient une place non négligeable dans le programme d'une garderie, surtout pour les très jeunes. La garderie doit offrir un milieu sain aux enfants et les aider à développer de bonnes habitudes de propreté.

Le sommeil ou le repos constituent également une période nécessaire dans la journée de la garderie. Il est indispensable au bien-être des enfants. Dans le sommeil, chacun adopte son style propre selon son âge et son type moteur ; il importe de le respecter le plus possible. Les périodes de sommeil diminuent avec l'âge et font place à des périodes de sieste ou de détente qui sont tout aussi essentielles. Dans la mesure où l'enfant sera détendu et reposé, il profitera davantage de ses périodes de veille.

Voilà donc qu'avec cet aperçu des aspects généraux du développement de l'enfant de un mois à six ans s'achève cette présentation des volets I, II et III respectivement intitulés :

- l'Âge de la recherche de l'identification (un à vingt-quatre mois) ;
- l'Âge de la démarche vers l'autonomie (deux à quatre ans) ;
- l'Âge de la conquête de l'initiative (quatre à six ans).

Tableau IV
Les activités physiologiques de l'enfant de un mois à six ans

Alimentation	Hygiène et élimination	Repos-sommeil
Contrôle du geste	**Contrôle de l'intestin**	**Repos-sieste**
• Niveau d'autonomie	**Contrôle de la vessie**	• Variations dans le rythme
		• Caractéristiques et rituels
Caractéristiques particulières	**Habitudes de propreté**	
		Sommeil
• Appétit	• Niveau d'autonomie	
• Habitudes alimentaires	• Entretien des mains, du visage, des dents	• Variations dans le rythme, la nature et l'intensité
• Besoins spécifiques		• Caractéristiques et rituels
Habitudes de propreté		
		Habitudes de propreté

Volet I

Âge de la recherche de l'identification

de un mois à vingt-quatre mois

Le portrait de l'enfant de un mois à vingt-quatre mois

La petite enfance est une période de la vie qui voit défiler successivement et à un rythme accéléré les principaux points d'ancrage qui façonnent progressivement une personnalité.

Les influences culturelles et sociales diverses qui accompagnent la croissance d'un être humain s'allient de façon déterminante aux démarches d'apprentissage et aux caractéristiques de développement de chaque étape.

Les liens établis au cours des deux premières années entre les adultes significatifs responsables de l'enfant (père, mère ou autre substitut parental) contribuent à créer un climat de confiance chez l'enfant, et la qualité de cette relation permet à ce dernier de s'insérer dans son environnement de façon positive, car de tels adultes permettent à l'enfant, dans une très large mesure, d'apprivoiser le monde. C'est ce sentiment de confiance et de certitude, alimenté par l'expérience sensorielle et motrice, qui permet à l'adulte responsable de l'enfant de cet âge de disparaître aux yeux de l'enfant un certain temps, sans cesser d'exister de façon définitive pour lui.

Avec des objets matériels et avec des « objets humains », il apprend en effet à identifier les objets et les personnes, et cette démarche est complémentaire, dans la mesure où cette recherche d'identification des objets est essentielle à l'orientation fondamentale vers autrui.

Le développement de la notion d'identité d'objet et la discrimination perceptive et affective d'un objet d'attachement humain sont directement liés l'un à l'autre et interdépendants.

Enfin, l'attention apportée aux besoins physiques et émotifs d'un nourrisson constitue le fondement même de l'identité ultérieure de l'enfant. C'est donc par l'entremise de situations d'interaction et de jeux que le nourrisson parviendra à découvrir les premières facettes de sa personne.

La banque de ressources

Tableau synthétique du portrait de l'enfant de un à six mois

Le développement sensorimoteur

A) Vision, préhension, succion*
- — La présence des réflexes
- — L'exploration visuelle et auditive de l'environnement
- — La découverte des mains
- — La manipulation et l'exploration de l'objet
- — La coordination des mouvements

B) Locomotion
- — La tenue de la tête
- — Les mouvements des jambes
- — La coordination du tronc et des extrémités

Le développement socio-affectif

- — L'acquisition d'un sentiment de confiance
- — L'interaction enfant-adulte
- — L'attachement
- — L'interaction enfant-enfant

Le développement du langage verbal

- — Les sons et cris

* Compte tenu de la relation extrêmement étroite qui existe entre chacun des aspects sensoriels, ils seront traités simultanément, tout en essayant de souligner l'aspect mis en relief dans les situations spécifiques.

Tableau V

Synthèse du développement de l'enfant de un à six mois

	Organisation perceptive et contrôle du geste					Contrôle du corps		Découverte de soi
	Vision	Audition	Succion	Préhension et manipulation	Phonation (langage verbal)	Locomotion	Activités physiologiques	Sociabilité et affectivité
Entre 1 et 3 mois	Regarde des lumières et des objets en mouvement.	Réagit aux bruits.	Suce à vide, par réflexe ; début de succion anticipée au moment de la tétée.	Serre les poings ; serre fortement le doigt qu'on introduit dans sa main.	Pleure ; se calme lorsqu'il entend une voix ; fait entendre des petits sons gutturaux assez doux.	Soulève la tête en vacillant lorsqu'il est couché sur le ventre.	S'alimente approximativement à toutes les 4 heures ; dort environ 4 à 5 siestes en 24 heures.	Regarde attentivement le visage qui s'approche de lui.
	Suit un objet en mouvement horizontal.	Écoute attentivement des sons aigus.	Porte la main à la bouche, amorce ses premiers contacts avec la cuillère.	Découvre ses mains ; amorce des mouvements circulaires des bras.	Vocalise et gazouille des sons ayant une voyelle, « ah, eh, uh ».	Secoue ses jambes. Soutient la tête lorsqu'il est mis en position verticale.	Prend généralement 3 à 5 repas par jour.	Sourit, sans distinction. Reconnaît visuellement la mère.
	Explore visuellement l'environnement.	Cherche la source sonore.	Suce à la vue du biberon.	Tient un objet dans sa main pendant une brève période de temps.	Pousse des cris de joie forts et des petits rires courts.	Soulève la tête lorsqu'il est couché sur le dos.	Dort 3 siestes.	Suit de la vue la personne en mouvement.
Entre 4 et 6 mois	Cherche des yeux la source sonore, se regarde les mains.	Arrête de pleurer quand il entend de la musique douce.	Explore des objets avec la bouche ; premiers intérêts pour la forme, la texture, le goût, etc. ; premiers contacts avec la tasse.	Saisit l'objet avec la paume et les doigts de la main et referme la main.	Combine des voyelles ; gazouille, grogne.	Étend les jambes quand il est couché sur le dos. Garde le dos droit lorsqu'un adulte essaie de l'asseoir.	S'alimente à la cuillère, prend 3 à 5 repas. Fait 3 siestes ; élimine fréquemment.	Répond par des vocalises à la voix de l'adulte. Différencie la mère des autres personnes.
	Suit les déplacements des personnes et des objets jusqu'à leur disparition.	Tourne la tête lorsqu'il entend une voix ou un son.	Commence à boire à la tasse.	Explore avec la main.	Vocalise spontanément en regardant des objets ou des personnes.	Roule du dos sur un côté. S'assoit avec appui.	Prend 3 repas; exprime lui-même sa faim.	Amorce des jeux de type social par des vocalises et des sourires.
	Combine mieux des mouvements oeil-main-bouche.	Écoute des conversations. Réagit à la musique par des vocalises en différents tons.		Saisit un objet suspendu au-dessus de lui.	Produit au moins 4 sons.	S'assoit seul ou presque. S'assoit sur une chaise haute.		Manifeste de l'attachement envers sa mère.

N. B. Compte tenu de la rapidité des changements pendant les 24 premiers mois de vie, la présentation des aspects généraux de développement dans chacune des quatre sections du volet I sera plus détaillée que celle des volets II et III.

Un à six mois

Le développement sensorimoteur

Vision, préhension, succion, audition

La présence des réflexes : *Dès le premier mois de vie, l'enfant suce, écoute et touche ce qui est près de lui, et il le fait pour se familiariser avec son univers ; l'exercice du réflexe de succion et des autres fonctions sensorielles (vision, audition et toucher) conduit graduellement à une coordination des mouvements de la main, des yeux et de la bouche permettant ainsi le développement de l'intelligence. Le bébé peut aussi distinguer quelques couleurs vers la deuxième semaine de vie.*

Situations

- multiplier les positions du bébé (sur le dos, sur le ventre, sur les côtés) pour augmenter, dans la mesure du possible, sa mobilité et enrichir son champ visuel ;
- montrer un hochet ou un autre objet sonore. Attendre que le bébé fixe le regard sur l'objet et le bouger lentement en formant des cercles devant la tête, de sorte qu'il continue à le voir sans avoir à bouger la tête. Après un instant, tourner l'objet dans le sens inverse. Attendre quelques secondes pour ensuite déplacer lentement l'objet en s'assurant que le bébé suit des yeux et qu'il tourne la tête ;
- permettre à l'enfant de sucer ses doigts, car c'est pour lui un moyen de les connaître ;
- installer le bébé dans sa chaise et le placer dans différents coins pour qu'il puisse regarder le milieu et profiter d'une perspective différente en terme de hauteur et de distance. De cette manière, il pourra suivre plus facilement le déplacement des personnes dans la salle et observer leur interaction avec l'environnement.

Attitudes

- favoriser la coordination des bras, des yeux et de la bouche en changeant souvent le bébé de position ;
- surveiller les signes de fatigue exprimés par des mouvements d'inconfort, des pleurs et des cris ;
- éviter de coucher le bébé pendant une longue période de temps sur un même côté ;
- éviter de faire plusieurs mouvements et sons à la fois, car l'enfant ne pourra pas se concentrer sur le son prédominant ;

- observer les réactions de l'enfant et, s'il semble bien intéressé, continuer le jeu, mais en couvrant maintenant une distance plus grande que la précédente afin de provoquer des mouvements rotatoires de la tête ;

- laisser toujours le jouet entre les mains du bébé s'il réussit à le prendre ; cela favorisera son intérêt pour l'observation et la manipulation.

Organisation matérielle

- placer un mobile de couleurs vives et des formes simples au-dessus du lit ou de la table à langer, mais en prenant soin de situer le mobile à la bonne distance des yeux de l'enfant, c'est-à-dire à environ huit pouces avant quatre semaines, mais le rapprocher graduellement jusqu'à trois pouces à quatre semaines ;

- choisir des hochets ou des jouets ayant des couleurs attrayantes.

Exploration visuelle et auditive de l'environnement : *C'est grâce au processus de maturation et à l'expérience que l'enfant acquiert progressivement, qu'il devient capable de regarder les positions, les distances, les grandeurs, les couleurs, les formes, etc., des objets autour de lui. Aussi, dès le deuxième mois, il peut chercher avec les yeux la source sonore. Ces impressions visuelles et auditives ont parfois une action calmante.*

Situations

- sortir le bébé de son lit pendant ses périodes d'éveil et l'asseoir sur sa chaise afin de lui permettre de regarder chaque détail de la garderie, les mouvements des personnes ainsi que d'écouter les bruits de l'environnement ;

- prendre le bébé dans les bras, son visage face au visage de l'adulte, afin qu'il puisse explorer ;

- placer le bébé couché sur le ventre et faire sonner des clochettes en l'invitant à lever la tête pour cherche la source du son, ce qui renforcera en même temps les muscles de la nuque et du dos ;

- faire sonner la bouteille du biberon avant qu'il la voit et la rapprocher seulement quand les yeux du bébé y sont fixés ; cela favorisera le regard d'un objet qui lui est familier et qu'il a du plaisir à regarder.

Attitudes

- se rappeler que l'adulte représente la plus grande source de stimulation pour l'enfant lorsqu'il peut le toucher, le regarder, le sentir, l'écouter. Par conséquent, l'influence exercée par cette personne auprès de l'enfant est considérablement supérieure à celle de tout autre objet. Encourager et favoriser les occasions d'échange affectif entre l'adulte et l'enfant et ce, pendant les périodes de soins, d'alimentation ou de jeu ;

- appeler le nourrisson par son nom lorsqu'il est placé à une distance suffisante de manière à ce qu'il puisse reconnaître la source de la voix et sourire une fois qu'il regarde le visage. Répéter son nom, pour commencer à le familiariser avec sa propre identité ;

- remarquer pendant quelques jours les formes ou les objets que l'enfant semble regarder davantage et favoriser cette observation en plaçant l'enfant près de ces objets ;

- choisir plusieurs objets qui provoquent un intérêt à regarder, que ce soit par leurs mouvements, par leurs formes ou par leurs couleurs ;

- éviter d'amasser beaucoup de jouets sur une armoire ou dans une boîte en croyant que l'enfant sera intéressé à les regarder ; un grand nombre d'objets empêcherait l'enfant de les distinguer les uns des autres.

Organisation matérielle

- aménager le local de sorte que les murs, le plafond, les fenêtres, le mobilier, etc., constituent des éléments susceptibles d'attirer l'attention du bébé, par les qualités visuelles, auditives ou tactiles de chacun de ces éléments présenté individuellement. L'organisation physique de l'espace constitue par elle-même une source de stimulation. Ainsi, un environnement monotone provoque l'apathie chez les enfants. L'absence d'un élément de nouveauté qui amène le bébé à observer, à explorer et à découvrir peut produire l'ennui et un désintéressement généralisé chez l'enfant ;

- prévoir toujours des objets et une salle ayant des couleurs vives, car l'enfant, dès les premières semaines, a une tendance à regarder et à toucher davantage les formes de couleurs attrayantes plutôt que celles de couleurs mornes. Le rouge semble être particulièrement préféré des nourrissons. Essayer toutefois de combiner des couleurs (jaune, blanc, bleu clair, etc.) de façon harmonieuse, autant sur les murs que pour le matériel de jeu. Un bon jeu de couleurs permet de faire ressortir dans chaque élément (murs, plafond ou équipement), les contours susceptibles de stimuler l'observation chez le bébé ;

- changer les positions d'un nombre réduit d'objets présentés alternativement. Par exemple, les montrer à l'enfant accrochés par-dessus ou en face, tendus vis-à-vis lui, posés sur son ventre, posés à une distance inaccessible, mais visibles, etc. Ces changements graduels peuvent aider l'enfant dans ses tentatives d'exploration. Éviter toutefois de provoquer plusieurs intérêts simultanément, pour que l'enfant puisse explorer à son aise chaque stimulus. La sous-stimulation dans ce sens est aussi nuisible que la sur-stimulation ;

- placer à la vue de l'enfant un mobile, si possible sonore qui va bouger quand l'enfant va bouger ses mains.

Découverte des mains : *Les premières découvertes des mains se font vers le troisième mois, et l'enfant consacre une bonne partie de son temps à l'observation des mouvements des mains. Ces premières expériences permettront quelques mois plus tard de diriger la main vers un objet proche. Ces actes, encore très primitifs, serviront ensuite à développer la curiosité et l'autonomie de l'enfant, lorsqu'il cherche à comprendre le monde qui l'entoure.*

Situations

- prendre les mains du bébé et les frapper ensemble doucement au son d'une chanson. Répéter quelques fois et ensuite laisser ses mains, tout en continuant à chanter.

Attitutes

- respecter et favoriser les moments où l'enfant regarde ses mains. Il prend connaissance de son corps, acte fondamental pour arriver à coordonner ses mouvements ;
- éviter de distraire l'enfant pendant qu'il s'amuse avec ses mains ;
- permettre à l'enfant de sucer ses doigts. Il apprend à connaître les formes, le goût, la texture et la température de ses doigts.

Manipulation et exploration de l'objet : *Entre quatre et cinq mois, le bébé peut lever une ou les deux mains pour prendre un objet qui l'intéresse. Il regarde alternativement sa main et l'objet jusqu'au moment de saisir l'objet, posant ainsi un geste de coordination des yeux et de la main. À six mois, il commence à explorer l'objet avec les doigts plutôt qu'avec la paume de la main. Il commence son exploration de différentes façons, par exemple en frappant les objets, en les secouant ou en les frottant contre une surface pour faire du bruit. L'exploration d'un objet par la bouche est très importante. Elle se fait avec la langue, les lèvres ou avec les régions internes de la bouche. C'est par ce moyen que le bébé essaie de percevoir la grandeur, la forme, la texture et d'autres qualités propres à l'objet.*

Situations

- montrer un jouet de couleurs vives et le tenir tout près des bras du bébé. Inviter l'enfant à le saisir en le descendant jusqu'à ses mains et soulever rapidement l'objet une fois que celui-ci a touché les mains du bébé ;
- placer une cordelette portant des figures géométriques ou des formes diverses à travers le lit ou la chaise et ce, à une distance suffisamment rapprochée pour que l'enfant interagisse seul avec le matériel ;
- montrer un jouet lorsque l'enfant en tient déjà un dans la main afin de faire coordonner ses mouvements avec l'autre main. Une fois qu'il les a explorés, présenter un troisième objet pour que l'enfant se voit obligé de laisser un des premiers objets. Plus tard, il pourra comprendre le besoin de relâcher un objet avant d'en prendre un autre.

Attitudes

- laisser le jouet entre les mains de l'enfant, s'il réussit à le prendre. Encourager toujours l'enfant pour qu'il recommence si le jouet tombe, mais en posant à nouveau le jouet entre ses mains. Seul l'exercice et la répétition lui permettront de reconnaître l'objet qu'il examine ;
- surveiller la forme des objets offerts à l'enfant, car tout au cours des deux premières années, le bébé portera tout à la bouche ; c'est sa façon de connaître l'objet. Or, un objet trop petit peut être avalé par le bébé. Par ailleurs, si la forme est petite pendant les six premiers mois, l'enfant éprouvera une difficulté à le tenir dans les mains, à cause d'un manque de coordination.

Organisation matérielle

- offrir à l'enfant des objets faciles à manipuler, c'est-à-dire des objets plutôt grands mais légers, pour qu'il puisse les tenir. Ainsi, choisir des formes ayant un certain volume, car elles sont plus faciles à toucher que des formes aplaties ou des images.

***Coordination des mouvements :** Pour l'enfant de six mois, il y a essentiellement deux mondes : l'un kinesthésique (un ensemble de sensations) et l'autre visuel. Ce n'est que lorsque l'objet est perçu près de la main que cette dernière est dirigée vers l'objet et le prend. Vers cet âge, on peut observer des ébauches de comportement menées au hasard telles que déchirer, tirer, froisser, glisser, frotter, pousser, etc. L'enfant fait des explorations et des comparaisons en examinant attentivement les objets.*

Situations

- faire rouler doucement un ballon sur le corps du bébé en le faisant arriver aux mains ;
- frotter légèrement différents objets ayant des textures variées (plumes, tissus, éponges, etc.) sur le corps du bébé.

Attitudes

- attendre et voir la réaction du bébé avant de poursuivre ce léger chatouillement. Il faut lui laisser le temps de se familiariser avec la sensation ;
- valoriser les premières tentatives d'exploration d'un matériel pour le toucher, le goût et les odeurs. C'est grâce à la répétition de ces premières expériences que l'enfant arrivera à organiser sa pensée et qu'il pourra plus tard apprendre des notions plus complexes ;
- se rappeler que vers le sixième mois, le bébé reste visuellement attentif pendant environ 50 % du temps où il est réveillé, ce qui signifie que la concentration et la curiosité de chaque enfant peuvent être stimulées dès un très jeune âge grâce aux occasions offertes par le milieu ;
- varier la texture des objets choisis afin d'amener le bébé à toucher à différents matériaux ;
- prendre toutes les précautions nécessaires pour que les objets que l'enfant porte à la bouche ne représentent aucun danger.

Organisation matérielle

- placer les jouets dans un endroit attrayant et accessible, par exemple sur une étagère à sa portée. Placer certains des objets dans des boîtes de couleurs vives et suffisamment grandes pour qu'il puisse d'abord s'intéresser à la boîte, la saisir et plus tard s'exercer à manipuler les objets. Parmi les objets stimulants, on trouve : des cuillères en bois ou en métal, du papier, des rouleaux de papier ou des rouleaux en plastique, des colliers avec de grosses perles, des bouchons de liège, des casseroles, des cubes, des voitures, des poupées, etc.

Un à six mois

Le développement sensorimoteur

Locomotion

Pendant le premier semestre de vie, les caractéristiques principales de la locomotricité sont :

Premier mois:
- *ébauche un mouvement de reptation, couché sur le ventre ;*
- *soulève la tête de temps en temps en vacillant lorsqu'il est couché sur le ventre.*

Deuxième mois:
- *secoue ses jambes avec vigueur ;*
- *soutient la tête lorsqu'il est mis en position verticale.*

Troisième mois:
- *soulève la tête lorsqu'il est couché sur le dos ;*
- *roule d'un côté au dos.*

Quatrième mois:
- *garde les jambes en extension lorsqu'il est couché sur le ventre ;*
- *garde le dos droit quand il est assis dans les bras de l'adulte ;*
- *lève la tête et la poitrine lorsqu'il est couché sur le ventre ;*
- *garde la tête très ferme et droite.*

Cinquième mois:
- *lève la tête et les épaules lorsqu'il est couché sur le dos ;*
- *roule d'un côté à un autre.*

Sixième mois:
- *joue avec ses orteils ;*
- *plie les genoux : première réaction de ramper ;*
- *s'assoit avec peu de support.*

Situations

- faire des jeux-exercices pour fortifier la tête :
  installer un coussin par-dessous les bras du bébé qui se trouve couché sur son ventre. Tenir le bébé par les cuisses et le bassin, le pousser doucement dans un mouvement de va-et-vient ;

- faire des jeux-exercices pour fortifier le tronc :
  aider le bébé à tourner et retourner son corps par lui-même en commençant par les exercices suivants : plier doucement son genou gauche en laissant la jambe droite en extension ; fléchir sa hanche gauche en soulevant la fesse et en faisant ainsi un mouvement de rotation vers le côté droit. Placer le bras droit du bébé en extension en haut. Répéter les mouvements pour retourner l'enfant.

Attitudes

- soutenir légèrement la tête pour revenir à la position initiale, afin d'éviter qu'elle ne se heurte ;
- changer souvent de position le bébé qui est couché afin d'enrichir son champ visuel et de renforcer en même temps la tenue de la tête ;
- accompagner l'exercice d'un rythme ou d'une mélodie provenant d'une boîte à musique placée au-dessus de la tête de l'enfant afin de le stimuler à tenir sa tête levée ;
- garder toujours une attitude encourageante face aux mouvements faits par l'enfant.

Organisation matérielle

- suspendre un miroir au-dessus de l'endroit où l'enfant est placé pour jouer, afin qu'il puisse se regarder et stimuler ainsi le déclenchement d'autres mouvements.

Situations

- faire des jeux pour fortifier les bras :
  poser l'enfant couché sur son dos et lui offrir de tenir le pouce de l'adulte. Soulever lentement ses bras en avant jusqu'en face de son visage et abaisser latéralement les bras étendus de chaque côté. Répéter le jeu en descendant les bras du bébé croisés devant son front ;
- placer le bébé sur le dos et lui faire bouger les bras par-dessus la tête, puis retourner à la position frontale ;
- faire des jeux pour fortifier les jambes :
  pousser les jambes du bébé jusqu'à ce que les genoux se plient, et retourner à la position initiale ;
- tourner le bébé sur le ventre et pousser légèrement les mains contre ses pieds ;
- répéter en ballottant alternativement chaque jambe ;
- coucher le bébé sur le côté. Tenir son corps avec la main gauche et placer la main droite sous la plante des pieds du bébé. Étendre lentement les jambes, puis les plier en allant aussi haut ou aussi bas que cela sera possible pour l'enfant.

Attitudes

- éviter de forcer l'enfant à faire un exercice pour lequel il ne semble pas motivé. Arrêter toute tentative si l'enfant éprouve un inconfort ;
- répéter lentement et accompagner le jeu en rythmant les mouvements avec de la musique ou du chant ;
- accorder toujours une période de jeu libre avec les jambes pendant que l'enfant est déshabillé ;
- rendre ces exercices plus intéressants pour l'enfant en lui présentant un jouet. Placer le jouet de sorte qu'il ne le voit que partiellement, afin d'encourager sa recherche visuelle et de favoriser le mouvement ;

Organisation matérielle

- changer souvent la position du corps de l'enfant pour réaliser les jeux sensoriels. Ces efforts pour retrouver l'objet caché s'ajouteront aux efforts moteurs si l'enfant est tantôt assis, tantôt couché sur le ventre, tantôt sur le côté, etc. ;

- accorder un maximum de liberté de mouvement à tout moment.

- placer le bébé dès les premiers mois dans un parc ou sur un tapis, afin qu'il puisse bouger et essayer de se déplacer à la vue d'un objet intéressant.

Un à six mois

Le développement socio-affectif

Interactions enfant-adulte

Acquisition d'un sentiment de confiance : *L'origine de tout développement harmonieux se fonde, selon certains auteurs, sur un sentiment de « confiance fondamentale ». Cette attitude de confiance généralisée envers soi-même et envers les autres se construit à partir des expériences gratifiantes de la première année de vie. Le développement de ce sentiment fondamental de confiance dépend essentiellement de la qualité (plus que de la quantité) des interactions enfants-personnes familières et, en conséquence, chaque adulte dans un service de garde en constitue un élément important.*

Dès les premiers mois de vie, l'enfant développe des sentiments positifs ou négatifs envers lui-même en fonction de l'image que les adultes lui reflètent de lui. Ainsi, un bébé qu'on prend dans ses bras, à qui l'on parle, chante, sourit et qu'on caresse se construira une meilleure opinion de lui-même que celui qui reçoit rarement des manifestations d'amour et de tendresse. Ce dernier, par contre, développera des sentiments de doute qui risquent de devenir une partie importante de sa personnalité.

Situations

- assurer en tout temps un personnel stable capable de donner une sécurité à l'enfant.

Attitudes

- voir à ce que les contacts établis entre l'adulte et l'enfant soient réguliers et facilitent, d'une part, leur interaction et, d'autre part, le processus d'adaptation du bébé au service de garde ;

- insister sur l'individualisation des rapports et offrir à chaque bébé les stimulations affectives qui semblent les plus adéquates à chaque cas, c'est-à-dire celles qui semblent plaire davantage à l'enfant (par exemple, le chatouiller, lui parler en faisant des gestes, le caresser, etc.) ;

- essayer de consoler immédiatement l'enfant qui pleure. Rester à côté de lui après l'avoir consolé. Il est possible de consoler sans trop couver l'enfant. Un juste milieu serait de consoler en caressant, mais en essayant à la fois de distraire l'enfant vers une nouvelle activité. Il se sentira ainsi accompagné et il pourra rapidement oublier son désarroi grâce à la nouvelle activité ;

- valoriser toujours les efforts « d'autonomie » ou les nouveaux gestes du bébé en lui faisant sentir qu'il est aimé et qu'il est un individu important dans le groupe.

Sourire : *Le sourire constitue la première réponse de type social observée chez le jeune enfant. Son caractère de réflexe des premières semaines se modifie si bien qu'autour de la sixième semaine, il devient un élément important d'interaction sociale entre la figure maternelle et l'enfant. Entre deux et trois mois, l'enfant sourit à la vue d'un visage qui le regarde, sans nécessairement reconnaître tel ou tel visage. Le sourire est renforcé par ces contacts positifs avec l'adulte. Privé de contact humain, même si l'enfant est entouré de jouets, son sourire diminue, d'où l'apathie, l'atonie des visages figés des enfants trop longtemps isolés des contacts sociaux.*

Situations

- profiter des moments de veille pour caresser l'enfant et jouer avec lui en se plaçant de face dans son champ de vision.

Attitudes

- s'assurer qu'au moment où le bébé interagit avec l'adulte, il peut regarder son visage. Voir aussi à ce que chaque personne s'adresse aux enfants avec tendresse et en leur souriant;

- observer attentivement l'enfant qui reste inerte, atone ou peu souriant, même en présence d'un visage familier qui s'adresse à lui avec tendresse, car cela peut être un indice d'un trouble sensoriel ou émotionnel qu'il serait important de saisir immédiatement. Informer le psychologue ou le pédiatre consultant de la garderie.

Organisation matérielle

- attirer doucement l'attention de l'enfant avec un jouet qui l'invite à réagir.

Dès la naissance, le bébé manifeste des habiletés pour attirer l'attention sociale des adultes. Il pleure quand il a besoin de quelque chose, ce qui généralement amène l'adulte à lui porter de l'attention. L'enfant répond ensuite par des gazouillis, des sourires et des mouvements du corps, ce qui fait déclencher toute une forme de communication et de plaisir réciproque.

Attitudes

- profiter de toutes les occasions pour observer les gestes de bébé, ses expressions et répondre immédiatement en essayant de maintenir le dialogue. Cela est important pour que l'enfant apprenne à se sentir aimé.

Des gestes tels qu'ajuster son corps au corps de l'adulte qui le tient dans ses bras ou fixer ses yeux aux yeux de l'adulte ou sourire (vers quatre à six semaines) au regard du visage constituent des signes sociaux qui maintiennent l'adulte près du bébé. L'interaction établie par le bébé et l'adulte prend une forme de « mutualité» dans la communication réciproque.

Attitudes

- observer et respecter le tempérament de l'enfant afin de le prendre dans ses bras de manière à ce qu'il soit à l'aise, selon son tempérament. Par exemple, certains enfants préfèrent ne pas se sentir trop serrés alors que d'autres trouvent leur confort dans la chaleur ferme mais douce de l'adulte;

- favoriser toute position enfant-adulte qui invite le contact oeil-oeil et qui permette l'exploration du corps de l'adulte par les petites mains du nourrisson.

- Prendre les précautions matérielles nécessaires pour ne pas être bousculé lorsqu'on interagit avec le bébé.

Organisation matérielle

La tendance à sourire peu ou beaucoup peut affecter la nature des rapports enfants-adultes. D'une part, l'adulte se sent valorisé dans sa tâche lorsque le bébé sourit avec une expression de bien-être et de confort, ce qui stimule alors le niveau d'implication de l'adulte. D'autre part, même si le sourire peut être plus important, il faut tenir compte des différences individuelles et de l'empressement de chaque bébé à réagir avec ou sans sourire.

Situations

- donner un contenu affectif aussi riche que possible à toutes les situations mettant en rapport l'adulte et l'enfant.

Attitudes

- insister sur l'acceptation et le respect des différences individuelles chez chaque enfant en adoptant toujours une attitude d'encouragement et de jeu envers lui. Se rappeler que l'enfant tend à réagir positivement lorsqu'il trouve un accueil chaleureux et détendu ;

- s'assurer que chaque enfant reçoit quotidiennement « au moins » deux périodes de jeu individuel avec l'adulte. Par ce moyen, l'adulte parviendra à connaître les différences individuelles des enfants dans le groupe, et le processus d'attachement réciproque se verra ainsi favorisé par la sécurité émotive offerte au jeune enfant.

Organisation matérielle

- décorer le local avec des objets de couleurs vives et laisser des jouets à la portée de l'enfant. Un environnement chaleureux favorise le sentiment de confiance chez l'enfant et facilite le processus d'adaptation à la garderie. L'aménagement du local reflète directement l'attitude des adultes envers l'enfant ;

- assurer en tout temps un environnement sécurisant, stimulant et adapté aux intérêts des enfants qui l'utilisent.

Attachement : *Le processus d'attachement commence à se manifester lorsque le bébé devient capable d'utiliser certains comportements (pleurer, sourire, vocaliser, suivre des yeux, etc.) d'une manière différenciée pour entrer en rapport avec une personne spécifique (généralement la mère ou un substitut maternel)* [6]. *L'attachement commence à se manifester de façon très nette vers le quatrième mois,*

---

6. Nous sommes conscients qu'aujourd'hui le père et la mère partagent la responsabilité des soins des enfants et, par conséquent, l'enfant peut s'attacher autant au père qu'à la mère ; tout dépend de qui lui consacre le plus d'attention systématique. Les termes « figure maternelle » ou « mère » seront toutefois utilisés indistinctement pour l'un et l'autre parent, afin de simplifier cet exposé.

lorsque le bébé reconnaît les principales caractéristiques d'une personne spécifique, à savoir son visage, sa voix, ses caresses, etc. Plus tard, vers le sixième mois, il différencie ses réponses en fonction de la figure maternelle et des autres personnes. Progressivement, l'enfant devient capable d'étendre ses rapports à certaines autres personnes préférées.

L'attachement est facilité par le fait que l'enfant entretient une relation continue et stable avec une même personne. Ainsi, cette relation primaire avec l'adulte constitue un modèle essentiel dans le développement psychosocial ultérieur de l'enfant, car pour qu'il se sente aimé et qu'il acquière un sentiment de valeur de lui-même, cette relation doit être qualitativement gratifiante et quantitativement stable. Par ailleurs, le processus d'autonomie est favorisé lorsque l'enfant cherche à faire plaisir à la personne à laquelle il se sent attaché, alors que cette personne renforce ses tendances à l'autonomie en réagissant positivement à ses tentatives d'indépendance.

Situations

- essayer, dans la mesure du possible, que les autres intervenants soient généralement les mêmes;

- inviter les parents à participer le plus possible aux activités de la garderie, de façon à nuancer le passage du foyer à la garderie et à favoriser chez l'enfant les occasions d'interactions, autant avec les parents qu'avec les éducateurs;

- observer certains comportements qui permettent de déceler l'existence d'un lien d'attachement: a) les crises de larmes lorsque l'enfant est pris par une autre personne que sa mère (ou la mère substitut), celles-ci étant donc des crises de larmes différenciées qui s'arrêtent lorsque l'enfant revient aux bras de la mère; b) le bébé sourit et gazouille plus souvent et plus volontiers avec la mère qu'avec d'autres personnes. Ainsi, il lève les bras pour que sa mère le prenne; c) il y a poursuite visuelle maintenant et, plus tard, non seulement l'enfant regardera attentivement les mouvements de la mère, mais il se déplacera en la suivant sans arrêt; d) le bébé essaiera de se coller à la mère, de cacher sa tête entre les jambes de celle-ci, etc.

Attitudes

- accorder une importance primordiale à la présence régulière et stable des personnes qui agissent directement avec les enfants. Dans la mesure du possible, il faut que ce soit une ou, à la rigueur, deux personnes, mais toujours les mêmes, qui donnent tous les soins et qui stimulent le jeu chez l'enfant. Ces personnes doivent assurer un contact positif avec le bébé puisqu'elles influencent, par la qualité de leurs interactions, le développement du sentiment de confiance en soi et aux autres. Ce sentiment de confiance entraîne avec lui la sécurité personnelle.

- surveiller la fréquence et le mode de participation des personnes autres que le personnel régulier de la garderie. Un personnel composé de différentes personnes qui fréquentent la garderie de façon intermittente représente un des plus sérieux dangers pour la vie affective du jeune enfant en garderie, car il ne parvient pas à retrouver la stabilité nécessaire qui lui permette de se sentir en sécurité et, par conséquent, de s'attacher aux mêmes personnes puisque ce lien affectif exige une continuité dans la relation;

- comprendre que le bébé cherche automatiquement la compagnie de la personne qui signifie quelque chose pour lui ; son lien d'attachement est spécifique et exige une discrimination entre les personnes. De plus, ce processus est nécessairement actif et réciproque puisque l'enfant ou l'adulte ne peuvent être seulement des récepteurs passifs. L'attachement suppose ainsi une interaction entre les deux parties concernées ;

- éviter à tout prix de considérer la présence de la mère ou du père comme une situation négative à la garderie à cause des crises de larmes qui peuvent se produire à leur départ. Au contraire, les visites des parents sont à encourager, puisqu'on sait maintenant jusqu'à quel point l'enfant a besoin de retrouver à la garderie des visages familiers qui lui assurent une stabilité. Trouver des jeux ou d'autres moyens de distraire l'enfant au départ des parents ;

- interpeller l'enfant et lui parler d'une distance où il puisse entendre clairement, surtout lorsque celui-ci montre des signes d'ennui, et que l'adulte ne peut pas s'approcher de lui immédiatement.

Organisation matérielle

- encourager les parents à apporter de la maison un objet ou un jouet préféré par le bébé, de sorte que des images familières demeurent toujours constantes.

Un à six mois

Le développement socio-affectif

Interactions enfant-enfant

La recherche de contact avec les autres enfants est une forme très primitive de socialisation de l'enfant. Avant l'âge de six mois, le comportement reste lié aux premières tentatives d'exploration de son propre corps. Durant cette période, l'enfant n'est guère sensible à «l'accrochage» provoqué par la rencontre fortuite d'un autre enfant qui roule vers lui dans le parc; le bébé traite ses pairs comme des objets, les bouscule, les manipule, leur arrache des mains les jouets qui l'intéressent. Placés ensemble sur un tapis ou dans un parc, les enfants de six à huit mois se recherchent, s'étreignent et s'accrochent, apparemment sans s'en rendre compte.

Situations

- placer deux ou trois bébés de moins de six mois ensemble, sur le plancher ou dans le parc, à une distance relativement éloignée l'un de l'autre pour éveiller des regards réciproques.
- interpréter les « accrochages » et les autres modes de relation comme un comportement positif dans la formation de l'image de soi, puisque l'enfant ne peut encore se différencier d'autrui ;
- assurer une présence attentive d'adulte afin d'éviter l'attente aux moments de désarroi ou d'ennui causés par la fatigue face à cette première forme d'interaction sociale.

Organisation matérielle

- réduire graduellement les distances pour rapprocher le petit groupe d'enfants, afin de provoquer les premières tentatives de contact, mais tout en surveillant de très près les démarches de chacun, spécialement lorsque des bébés plus âgés s'approchent des plus jeunes.

Un à six mois

Le développement du langage verbal

Avant quatre semaines : • *petits sons gutturaux assez doux.*

Huit semaines : • *sons comportant seulement des voyelles «ah, eh, uh»*

Douze semaines : • *petits rires courts.*

Vingt semaines : • *cris aigus ; le bébé module des tons au son très aigu qui ressemblent au cri d'un petit cochon. Il combine des sons où se retrouvent des voyelles et il gargouille ces mêmes sons.*

Vingt-quatre semaines : • *petits grognements. Il commence des jeux de type social par des vocalises et des sourires ; il vocalise spontanément en regardant des objets ou des personnes. Il gazouille.*

Situations

- prendre l'enfant dans les bras pour lui parler et lui sourire. S'approcher suffisamment de lui pour lui permettre de suivre les mouvements du visage ;
- appeler le nourrisson par son nom lorsqu'il est placé à une distance telle qu'il puisse reconnaître la source de la voix et garder le sourire quand il regarde le visage.

Attitudes

- considérer les pleurs comme une forme importante de langage durant cette période et répondre immédiatement à l'appel de l'enfant ;
- renforcer toute tentative d'expression sonore en répétant après lui les sons qu'il émet ;
- insister pour que chaque personne s'adressant aux enfants maintienne en tout temps une attitude chaleureuse et stimulante, reflétée par une voix reposée et claire, ainsi que par des gestes de tendresse. Ces attitudes positives inviteront l'enfant à « communiquer » avec elle par des cris, des sourires, des gazouillis et des sons ;
- répéter son nom pour qu'il s'habitue à l'entendre ;
- profiter de toutes les occasions pour faire vocaliser et sourire le bébé. Cependant, il faut faire attention pour ne pas énerver l'enfant sous prétexte de vouloir le faire rire ;

- accompagner d'une voix calme la présentation d'un objet particulièrement lorsqu'il s'agit de calmer le bébé.

Organisation matérielle

- aménager le local avec des mobiles et des couleurs stimulantes qui invitent l'enfant à observer et à « s'exprimer » ;

- essayer de capter l'attention du bébé qui pleure en lui faisant entendre une mélodie ou un rythme. Cependant, garder un volume de son régulier, même si le bébé intensifie ses pleurs, car si, on monte à la fois le volume du son et de la voix, on risque de le rendre encore plus nerveux qu'auparavant. Par contre, on peut lui montrer un jouet intéressant ou l'approcher de la fenêtre en lui parlant doucement.

* * * *

Tableau synthétique du portrait de l'enfant de sept à douze mois

Le développement sensorimoteur

A) VISION, PRÉHENSION, SUCCION, AUDITION
- — La poursuite visuelle de l'objet disparu
- — Les premiers comportements imitatifs
- — La sensibilité auditive
- — La découverte des moyens nouveaux

B) LOCOMOTION
- — L'acquisition de la position assise
- — L'exercice de ramper
- — L'acquisition de la position verticale
  - debout
  - marche

Le développement socio-affectif

- — Les relations sociales
- — Le concept de soi
- — L'interaction enfant-enfant
- — L'anxiété
- — La peur de la personne étrangère

Le développement du langage verbal

tableau VI

Synthèse du développement de l'enfant de sept à douze mois

Entre	Organisation perceptive et contrôle du geste					Contrôle du corps		Découverte de soi
	Vision	Audition	Succion	Préhension et manipulation	Phonation (langage verbal)	Locomotion	Activités physiologiques	Sociabilité et affectivité
7 mois	Saisit et prend une corde et un objet proche.	Répond quand on l'appelle. S'apaise au son de la musique familière.	Explore des objets par la bouche.	Manipule la cuillère et la tasse en jouant.	Progresse dans le gargouillement : « mam-man-mam », quand il pleure, « ah-ah-oh, oh-eh eh ».	Roule de l'estomac sur le dos. Mouvements de danse, lorsque tenu debout.	Prend 3 repas plus collation. 3 siestes.	Premiers comportements imitatifs.
8 mois	Regarde des objets qu'il fait tomber.	Frappe les mains en suivant la musique.	Porte seul la suce à la bouche.	Secoue, frappe, frotte des objets contre une surface.	Émet des consonnes individuelles « da, ba, ca ».	Se tient debout avec appui. Essaie de ramper.	Peut faire encore deux siestes.	Sourit avec discrimination, premières réactions d'anxiété et de peur.
9 mois	Cherche l'objet là où il l'a vu la dernière fois.	Suit la musique par des balancements rythmiques.	Mord et mâche les jouets.	Prend un objet avec l'index et le pouce. Passe l'objet d'une main à l'autre, jette des objets au sol.	Vocalise au moins 4 syllables. Combine 2 sons, sans signification précise : « mam-mam ».	Rampe, coordonne les jambes et plie les genoux. Esquisse de réaction de marche.	Mange bien des solides. Manifeste des préférences dans la nourriture.	Réaction de confiance envers les personnes familières et retrait possible face à un étranger.
10 mois	Rapproche deux objets et les examine.	Imite des tons en notes soufflées.		Peut mettre un petit objet dans une tasse, cherche de nouveaux moyens d'explorer les doigts et son environnement.	« maman-papa » avec signification. Comprend « non ». S'intéresse à écouter et à imiter des sons.	Se met debout avec support. Peut se redresser et s'abaisser.	Tient seul le biberon. Peut être sec après une sieste. Peut s'asseoir un instant à la toilette.	Cherche à faire plaisir à l'adulte. Salue et dit « au revoir ».
11 mois	Cherche l'objet disparu. Soulève un écran qui le cache.	Éprouve du plaisir à entendre les sons qu'il produit lui-même.		Peut tenir un crayon et gribouiller quelques instants. Déchire, tire, froisse, glisse, gratte. pousse.	Prononce 2 mots en plus de « Maman-papa ». Comprend le « donne-moi ». Donne un nom à un acte ou à un objet. Ce mot est généralisé.	Se tient debout en s'appuyant sur les meubles. Essaie de grimper. Peut marcher, tenu par la main.	Mange seul avec les doigts. Aime tenir une tasse. Peut réussir sporadiquement à éliminer au pot.	Manifeste un début d'agressivité. Offre un jouet au miroir. Recherche un public. Aime jouer à donner et à recevoir.
12 mois	Fait tomber une tour de cubes. Fait rouler un ballon.		Peut encore demander une suce pour se détendre.					

Sept à douze mois

Le développement sensorimoteur

Vision, préhension, succion, audition

Poursuite visuelle de l'objectif : *La mémoire de l'enfant se développe très graduellement. Ainsi, pendant les cinq premiers mois, il ne s'intéresse qu'aux objets qu'il voit. Entre cinq et neuf mois, on constate une première réaction de l'enfant à la disparition d'un objet, s'il a pu suivre avec ses yeux cette disparition. Ce comportement évolue entre neuf et onze mois ; l'enfant cherche un objet à l'endroit où il l'a trouvé auparavant, même s'il l'a vu disparaître dans un autre endroit.*

Situations

- placer un jouet dans un endroit où l'enfant peut le voir complètement. Attirer son attention et couvrir le jouet au complet quand il le regarde (par exemple avec un écran de carton) ;
- compliquer le jeu précédent, une fois que l'enfant a saisi l'idée, en plaçant deux écrans similaires et en cachant plusieurs fois le jouet sous le premier. Ensuite, changer le jouet et le cacher sous le deuxième écran ;
- mettre un objet dans une boîte ou dans une tasse (sans couvercle) et demander au bébé de trouver l'objet en faisant une première fois le jeu, quand il regarde ;
- jouer à cache-cache en se cachant complètement du bébé et en réapparaissant immédiatement après. Essayer d'alterner ce jeu en laissant l'enfant se cacher ou en l'aidant à se couvrir.

Attitudes

- choisir un écran neutre afin d'éviter qu'il n'éveille un intérêt plus marqué que le jouet. Inviter l'enfant à retrouver le jouet en le laissant libre de chercher par ses propres moyens. S'il ne réussit pas à le retrouver, montrer, en faisant le geste, qu'il peut le voir par le côté de l'écran. Toutefois, il est important de graduer la difficulté et la durée du jeu en fonction de la réaction de l'enfant, car s'il ne réussit pas à en comprendre le sens, ce jeu ne sera pas valable.
- observer les réactions de l'enfant lorsqu'on lui parle et qu'on fait ces jeux avec lui, en l'encourageant toujours à poursuivre l'activité. Ces jeux favorisent la coordination des yeux et des mains ;
- verbaliser toujours le mouvement et les actes précis réalisés ;
- inventer des jeux rythmés ou adapter des chansons pour accompagner ces jeux. Le rythme et les mélodies contribuent à intéresser l'enfant à participer ;

- éviter d'insister quand un jeu ne semble pas intéresser l'enfant ;

- ne pas prolonger inutilement une activité.

Organisation matérielle

- enlever les objets qui sont autour de celui qui est caché et essayer de garder l'attention sur l'écran et l'objet ;

- faire ce type d'activité à n'importe quelle période de la journée (c.-à-d. pendant l'heure du dîner, de jeu, d'hygiène, etc.).

Premiers comportements imitatifs : *Vers le huitième ou neuvième mois, le nourrisson peut apprendre à imiter quelques mouvements d'un adulte familier. Cet acte représente un signe d'intelligence, car l'enfant commence à dissocier des activités qui semblent être un prolongement de lui-même en essayant de prolonger des activités intéressantes par imitation et par une répétition qui impliquent nécessairement un appel à la mémoire.*

Situations

- frapper devant l'enfant deux cubes ; les offrir au bébé pour qu'il essaie d'imiter ce geste ;

- faire des jeux de mime rythmés avec les doigts et avec les mains, des jeux suffisamment simples pour que l'enfant puisse les imiter ;

- prendre le nourrisson dans les bras et danser avec lui au rythme de la musique. Le placer par terre en restant tout près de lui et l'encourager à continuer les mouvements de danse ;

- approcher le nourrisson d'un miroir et accorder le temps nécessaire pour qu'il joue avec le miroir en souriant ou en faisant des gestes d'imitation de l'adulte. Signaler les parties de son visage et du visage de l'adulte afin de commencer à le familiariser avec le son et la signification de chaque partie concernée ;

- introduire des jeux imitatifs avec les poupées ou avec les animaux, les jouets ; par exemple, leur donner à manger, les caresser ou les faire dormir.

Attitudes

- inviter l'enfant à participer à tout ce qui implique une interaction entre lui et l'adulte ; par exemple, frapper ensemble des cubes, chacun en ayant un dans la main ;

- provoquer l'imitation des gestes et des sons tels que saluer avec la main, siffler, lancer un baiser, frapper des mains, etc. ;

- remarquer et encourager toutes les tentatives pour communiquer. Observer le nombre de syllabes qu'il babille dans une phrase, puisque vers neuf mois, par exemple, il peut généralement essayer de reproduire environ quatre syllabes (voir section sur le langage) ;

- soigner particulièrement les modes de contact avec l'enfant, car il apprend par observation, par imitation et par répétition. Ainsi, l'enfant qui n'entend que des cris et des ordres apprendra à communiquer de la même manière. Par contre, celui qui connaît davantage un environnement agréable et chaleureux aura tendance à répondre de façon positive.

Organisation matérielle

- aménager la salle de jeu avec un grand miroir placé à la hauteur de l'enfant.

Sensibilité auditive : *Très tôt, l'enfant a une réaction joyeuse à la musique. Vers sept mois, il manifeste un état d'apaisement et de détente. Plus tard (vers dix mois), le nourrisson suit la musique par des balancements rythmés : les enfants de neuf à douze mois se livrent parfois à des essais de tons imités (en notes soufflées).*

Situations

- faire fonctionner devant l'enfant une boîte à musique qui soit suffisamment facile à manipuler pour qu'il puisse la tenir si on la lui laisse entre les mains ;
- appeler le bébé des différents coins de la pièce en changeant chaque fois d'intonation, mais en prononçant clairement son nom afin de l'aider à le reconnaître ;
- offrir des instruments de percussion avec lesquels l'enfant pourra jouer par lui-même ;
- jouer différentes sortes de musique au cours de la journée en choisissant les rythmes lents et les airs doux pour les périodes de jeux vigoureux. Choisir un moment spécial pour écouter seulement la musique ;
- jouer souvent les mêmes mélodies et en introduire progressivement de nouvelles, afin de familiariser graduellement l'enfant à la reconnaissance de la pièce musicale.

Attitudes

- observer les réactions du bébé et voir s'il cherche la source du son, ou encore s'il essaye de produire le son par lui-même ;
- essayer d'attirer l'attention du bébé sur les pas des personnes qui lui sont familières ou sur certains bruits produits dans l'environnement, tels que l'eau qui coule, la fermeture d'une porte, l'outil qui tombe, etc. ;
- surveiller la qualité sonore de l'instrument en le choisissant soigneusement. Un instrument ayant une tonalité défectueuse risque de déformer le développement de la sensibilité acoustique chez le bébé ;

- porter une attention spéciale au choix des rythmes et des mélodies. Il est très important que le rythme soit simple, clair et bien marqué. Ces conditions minimales sont parfois absentes dans la musique spécialement conçue pour les jeunes enfants, et c'est pourquoi certaines musiques du genre folklorique, populaire et classique sont particulièrement propices à l'initiation de l'enfant au rythme ;

- profiter de toute occasion au cours de laquelle l'enfant peut écouter la musique sans être distrait par autre chose, en le stimulant à s'exprimer en suivant le rythme ;

- encourager l'effort en répétant « son chant » quand il émet différents tons de voix.

Organisation matérielle

- organiser un coin à la portée de l'enfant où il pourra trouver différents instruments de percussion ainsi que des boîtes à bruits.

Découverte des moyens nouveaux : *Vers l'âge de huit mois, le bébé invente de nouveaux moyens pour atteindre des résultats et pour explorer l'objet devant lui. Il y a un début d'intention.*

Situations

- offrir des jouets qui invitent l'enfant à tirer une corde pour les faire fonctionner (par exemple, des poupées articulées, des boîtes à musique, etc.) ;

- offrir un contenant plus ou moins profond (une tasse, une casserole, une boîte, etc.) et de petits objets qu'il y place ou qu'il en retire ;

- s'engager dans un jeu de « donne-moi » et « tiens » qui servira à l'enfant autant pour exercer la coordination de ses mouvements que pour renforcer la compréhension de ces termes.

Attitudes

- accorder tout le temps nécessaire pour que l'enfant explore les objets avec ses yeux, ses mains, sa bouche ;

- observer comment le bébé écarte la main d'autrui ou tout obstacle placé entre lui et l'objet qu'il veut saisir. Apprécier l'effort et éviter de trop faciliter cet acte en rapprochant l'objet de l'enfant, car il perdrait l'intérêt pour la recherche ;

- permettre à l'enfant de jeter des objets par terre lorsqu'il est assis sur sa chaise. Cela constitue un bon exercice des mouvements de la main (attraper-lâcher). Par ailleurs, par cette activité, l'enfant vérifie l'espace, le son et les propriétés du matériel. Éviter de gronder l'enfant ou d'interpréter ce geste comme une attitude négative de sa part.

Organisation matérielle

- placer dans le parc un jeu de mécanismes divers (panneau d'activités pour les petits (Activity center) qui permet à l'enfant d'essayer différents gestes pour obtenir des résultats précis pour chacun des mouvements effectués (pousser, frotter, frapper, secouer, tourner, etc.);

- surverveiller la résistance et la sécurité des jouets mis entre les mains des enfants.

Sept à douze mois

Le développement sensorimoteur

Locomotion

L'activité motrice prend une importance capitale pendant cette période. Elle se précise davantage :

Sept mois:
- *peut s'asseoir sur une chaise haute ou basse;*
- *veut s'asseoir pour observer, manipuler, sucer, taper;*
- *couché sur le dos, pédale, lève les jambes, porte ses pieds à sa bouche;*
- *peut rouler lorsqu'il est couché sur le dos.*

Huit mois :
- *peut se tenir debout avec appui ;*
- *rampe, essais vigoureux ;*
- *s'assoit seul, sans appui, pour une courte période de temps.*

Neuf mois :
- *esquisse des pas (mouvement de danse) : un pas après l'autre avec support ;*
- *peut reculer et avancer en rampant.*

Dix mois :
- *se met debout avec support (barreaux du lit) ;*
- *peut se redresser et s'abaisser ;*
- *s'assoit bien sur une chaise.*

Onze mois :
- *essaye de grimper sur les meubles ;*
- *se tient debout en s'appuyant sur les meubles.*

Douze mois :
- *grimpe avec les mains et les genoux ;*
- *peut pivoter en position assise ;*
- *aime les activités motrices assez globales ;*
- *aime se cacher derrière les chaises pour jouer au « coucou » ;*
- *répond au ballon en relachant avec une poussée légère, mais bien définie ;*
- *s'intéresse aux objets.*

Attitudes

- refuser catégoriquement d'utiliser des appareils destinés à « aider » à ramper (« crawligator ») ou des marchettes. Ces appareils fort artificiels forcent le corps à adopter des positions et à réaliser des mouvements pour lesquels souvent le bébé n'est pas prêt. De plus, ces appareils forcent l'enfant à trop écarter les jambes (dans le cas des marchettes) ou à marcher sur le bord interne des pieds, en plus de fatiguer l'enfant qui doit rester dans la même position pendant une période de temps prolongée. Le « crawligator » représente un danger considérable pour le bébé lorsque celui-ci perd l'équilibre en tombant de cet appareil et en restant pris. Une seule chute peut suffire pour que l'enfant prenne peur et ne veuille plus essayer de ramper pendant longtemps ;

- dans le même style d'appareil, se méfier aussi de la sauteuse (« jolly jumper ») et des fauteuils à bascule, qui peuvent créer chez l'enfant un état de surexcitation et l'enfermer dans un rite de balancement stéréotypé. L'utilisation de ces appareils doit être très modérée ;

- se rappeler que chaque enfant a son propre style pour ramper et pour franchir ces différentes étapes.

Organisation matérielle

- faciliter les mouvements du corps en habillant légèrement le bébé et avec des vêtements suffisamment confortables ;

- garder toute la salle suffisamment aérée et tempérée ;

- aménager la salle de façon à laisser des points d'appui pour les tentatives de se mettre debout, et plus tard de marcher avec et sans appui. Il est très important que l'enfant sente le milieu suffisamment sûr pour se lancer dans ses explorations de l'espace avec confiance.

Situations

- faire des jeux-exercices pour fortifier les bras : poser l'enfant en appui sur le rouleau à quatre pattes, puis bras et jambes tendus. Imprimer au rouleau un mouvement que l'enfant suivra en s'appuyant sur les mains, arrivant progressivement à se redresser.

Attitudes

- arrêter immédiatement le jeu si l'enfant donne des signes de peur ;

- encourager toujours l'enfant en soulignant ses efforts.

Situations

- faire des jeux-exercices pour fortifier la tête et le tronc : tenir l'enfant par les cuisses pendant qu'il est couché sur le grand ballon. Garder ses jambes allongées et, tout en repliant les jambes, pousser lentement le ballon en mouvement d'arrière en avant pour que la tête de l'enfant se relève.

Attitudes

- faire attention pour que toute la région lombaire soit en contact avec le sol. Répéter l'exercice mais sur le ventre en faisant rouler à gauche et à droite afin d'obtenir une recherche d'équilibre.

Organisation matérielle

- utiliser un grand ballon (1 mètre de diamètre).

Situations

- faire des jeux pour fortifier le tronc : asseoir graduellement le bébé en dehors de sa chaise et l'appuyer avec des coussins s'il n'a pas encore acquis un équilibre suffisant.

Attitudes

- surveiller attentivement pour l'aider en cas de chute.

Situations

- asseoir le bébé sur un grand ballon en le tenant par devant, tout le long des cuisses. Incliner le ballon de droite à gauche, de gauche à droite, d'avant en arrière, d'arrière en avant, ce qui permet à l'enfant de renforcer les muscles abdominaux et de trouver son équilibre en position assise.

Attitudes

- modifier légèrement ce jeu en couchant l'enfant sur le ballon, ce qui le mènera à s'aider du coude, de la main et du bras pour réussir à s'asseoir ;
- balancer lentement le ballon en jouant avec lui, tout en lui laissant du temps pour se redresser lorsqu'il perd l'équilibre, avant de recommencer de l'autre côté.

Organisation matérielle

- choisir un ballon qui soit plus grand que l'enfant.

Situations

- faire des jeux pour fortifier le tronc et les jambes : prendre le bébé d'une ou des deux mains (selon les capacités individuelles) et marcher lentement avec lui ;
- installer un escalier ayant approximativement trois marches et dont les côtés sont suffisamment protégés.

Attitudes

- observer comment le nourrisson commence à faire quelques pas de côté quand il peut s'appuyer sur un meuble ;
- éviter de forcer les mouvements ou la vitesse dans la marche de l'enfant ;
- laisser l'enfant ramper quand il se fatigue de marcher ou quand il semble inquiet. Tout en l'encourageant, il faut éviter de faire pression sur lui ;
- encourager chaque effort de l'enfant pour essayer de grimper l'escalier, en provoquant l'intérêt à l'aide d'un objet placé sur la marche la plus haute de l'escalier.

Situations

- faire des jeux pour fortifier les jambes : prendre l'enfant contre soi, tenu par le genou et la poitrine, puis seulement par le genou. Mettre l'enfant en appui, les mains et les bras sur le ballon, faire rouler le ballon afin que l'enfant se lâche d'une main, puis de l'autre, et se redresse ;
- faire rire l'enfant en le chatouillant légèrement pendant les jeux de mouvement;
- observer ses préférences dans ce type d'activités et les répéter souvent en l'incitant à les faire ;
- placer l'enfant par terre le plus souvent possible, de sorte qu'il essaie de ramper. Au début, il est possible qu'il tombe à la renverse à cause du manque d'équilibre, mais avec l'expérience et la maturité, quelques semaines plus tard, il arrivera à se déplacer en avant et en arrière.

Sept à douze mois

Le développement socio-affectif

Réactions sociales : *L'enfant est devenu capable de discriminer et de montrer des préférences envers une ou des personnes familières (manifestation d'attachement). Il leur sourit, les suit des yeux, essaie d'attirer l'attention par des petits cris*[7]*. Grâce à la qualité de la relation que l'enfant établit avec l'éducateur, le nourrisson développe un sentiment de sécurité de base qui le mène à vouloir maintenir ce contact préférentiel avec tel éducateur plutôt qu'avec un autre.*

Situations

- prévoir quotidiennement un minimum de deux périodes de jeu individuel entre chaque nourrisson et éducateur, en plus des jeux qui ont lieu durant les activités de routine.

Attitudes

- porter une attention majeure à l'organisation des horaires de travail des éducateurs, de manière à encourager la stabilité et la continuité des relations entre eux et les enfants ;
- profiter de toute occasion d'éveiller l'enfant pour renforcer une relation positive avec l'éducateur. L'éducateur peut l'appeler à distance et lui sourire lorsqu'il est occupé avec un autre enfant ;
- prendre souvent l'enfant dans les bras quand l'enfant est déjà familiarisé avec le visage de l'éducateur et lui parler doucement ;
- accorder une place primordiale aux sentiments d'attachement que l'éducateur développe envers les enfants qu'il a sous sa responsabilité. Cette relation réciproque ne peut que croître lorsqu'il y a une alternance entre les deux parties concernées.

Concept de soi : *Vers le deuxième semestre de la première année de vie, l'enfant commence à dissocier ses gestes de ceux des autres personnes et il s'aperçoit graduellement qu'il constitue une entité différente et séparée des autres.*

Situations

- inviter l'enfant à participer à des jeux de « coucou » afin de l'aider à imiter et à différencier son activité de celle du partenaire.

Attitudes

- accorder suffisamment de temps de répétition pour que l'enfant réussisse à se situer par rapport à lui-même.

---

7. Voir description d'attachement dans la section de un à six mois.

Interactions enfant-enfant : *Des échanges moins fortuits avec d'autres enfants deviennent possibles vers sept et huit mois. Il semblerait que le geste du voisin aide l'enfant à prendre conscience des régions du corps intéressées par les heurts entre eux.*

Vers neuf mois environ, le partenaire est davantage pris en considération, mais surtout en fonction du matériel qu'il détient : les luttes et les conflits culminent pour la possession des objets. Les contacts sont encore plutôt agressifs et ils demeurent ainsi pendant plusieurs mois. Le bébé semble là aussi intéressé à explorer le visage et le corps du partenaire. Il semblerait s'établir un certain jeu de provocation chez des enfants d'âge similaire (pas plus de deux mois de différence) par lequel, alternativement, ils chercheraient à étudier les limites de leur moi propre. Il est évident que de nettes différences individuelles se présentent, et on peut distinguer des bébés totalement insensibles aux autres, des bébés essentiellement centrés sur les autres et littéralement fascinés par leur présence et enfin, des bébés capables aussi bien de s'intéresser aux autres que de les ignorer, selon leur propre activité.

Situations

- placer deux ou trois enfants ayant les mêmes capacités motrices ;
- asseoir deux ou trois enfants dans leurs chaises berçantes (« baby relax ») et les placer en demi-cercle afin de leur permettre une observation et une imitation des autres.

Attitudes

- encourager et organiser de petits groupes de jeu entre les enfants, même si à cet âge il n'y a pas de jeu de groupe en tant que tel ; cela sert à inviter l'observation et l'imitation réciproque.

Anxiété : *Dans la mesure où l'enfant peut s'attacher à certaines personnes et leur faire confiance, satisfaire les besoins que le nourrisson acquiert envers lui-même et envers les autres d'une confiance fondamentale, d'une sécurité de base. Cependant, cette sécurité reste toujours menacée par l'anxiété qui peut être suscitée par la peur de perdre la personne aimée ou par la peur de perdre l'amour de cette personne.*

Vers l'âge de six à huit mois et ce, jusqu'à environ onze à dix-huit mois, l'enfant éprouve un sentiment d'anxiété lorsque la figure maternelle s'écarte de son champ visuel. Cette anxiété de séparation se manifeste par des pleurs, des cris et d'autres types de comportements susceptibles d'attirer l'attention de la figure maternelle et de provoquer son retour. L'anxiété de séparation diminue quand l'enfant peut se tourner vers d'autres stimuli (c'est-à-dire d'autres personnes ou objets qui vont capter son intérêt) ou aussi lorsqu'il atteint de nouveau la personne aimée disparue. À mesure que l'enfant devient capable de trouver en lui-même des ressources tout en pouvant désormais concevoir le retour périodique de la personne absente, ce type de comportement disparaît graduellement (vers dix-huit mois approximativement).

Situations

- voir à ce que la séparation d'avec la figure maternelle soit faite dans un climat détendu et chaleureux, en évitant à l'enfant, à la fois, un départ brusque et un prolongement inutile de ce moment de détresse par des retours constants de la figure maternelle.

Attitudes

- la personne qui reste avec l'enfant doit prévoir des moyens d'impliquer l'enfant dans une activité gratifiante et de lui tenir compagnie jusqu'à ce qu'il soit vraiment calme ;

- demander aux parents, lorsqu'ils viennent conduire leur enfant à la garderie, de rester un moment jusqu'à ce que le bébé reconnaisse l'endroit et essaie de créer des « rites » de départ (en un baiser, « tata » ou « regarde maman par la fenêtre », etc.) que l'on répétera systématiquement chaque jour ;

- accepter et respecter une certaine résistance de la part de l'enfant lors de la séparation d'avec les parents, car une légère anxiété de séparation constitue en effet une manifestation normale de l'attachement préférentiel envers la mère ou le père et peut se présenter même si l'éducatrice constitue une présence stable et continue dans l'univers de l'enfant ;

- traiter l'enfant avec beaucoup de tendresse et essayer de minimiser l'anxiété produite pendant le temps de la séparation.

Organisation matérielle

- s'assurer que dès son arrivée à la garderie, il a des jeux et des jouets mis à sa disposition qu'il pourra choisir librement. Cet aménagement stimulant peut réduire considérablement l'anxiété ressentie par l'enfant lors de la séparation d'avec ses parents.

Le bébé peut faire preuve de sentiments de peur et d'anxiété lorsqu'il est capable d'anticiper un événement qui lui est désagréable (par exemple, le moment de nettoyer le nez). L'association d'idées avec une expérience pénible peut éveiller chez lui la peur. Toutefois, le degré et l'intensité de ces peurs ne sont pas les mêmes chez tous les enfants.

Il n'existe pas chez l'enfant de terreurs spécifiques, héréditaires ou innées. Ses peurs seront apprises par conditionnement (par exemple, peur du chien, à la suite d'une apparition brusque) ou par imitation (peur du tonnerre à cause des manifestations provenant des personnes aimées par l'enfant).

Attitudes

- éviter toujours d'éveiller chez l'enfant la peur des objets ou des situations fausses, et qui ne représentent pas réellement un danger pour lui (exemple : le policier va t'emporter ; le méchant loup va te manger, etc.) ;

- se rappeler que l'inconnu et le non-familier ont pour certains enfants un potentiel anxiogène très fort qu'il faut éviter de susciter à tout prix. Garder toujours une attitude positive envers des situations susceptibles de causer de la peur à l'enfant ;

- souligner toujours de façon positive les situations susceptibles de devenir dangereuses. Par exemple, expliquer le danger des couteaux, etc. Répéter souvent car l'enfant n'apprend que par répétition et expérience.

Organisation matérielle

- être très attentif à l'aménagement de l'espace afin de favoriser une personnalité stable, saine et capable de prendre des initiatives. L'exploration du monde qui l'entoure devient un élément crucial pour vaincre la peur de l'inconnu.

Peur de la personne étrangère : *Lorsque certains enfants sont laissés seuls avec une personne qui ne leur est pas familière, ils peuvent manifester un comportement de peur car ils la perçoivent comme une menace à leur sécurité. Ce comportement se présente surtout vers douze mois, mais peut apparaître avant, vers huit-neuf mois. De plus, cette peur, peut même être ressentie lorsqu'une personne étrangère s'approche de l'enfant et essaie de le toucher. Toutefois, ce type de comportement ne semble pas correspondre à un sentiment généralisé chez tous les enfants.*

Situations

- assurer une atmosphère détendue qui permette à chaque enfant de prendre le temps nécessaire pour se familiariser avec la personne étrangère ou inconnue ;
- dans la mesure du possible, éviter la séparation hâtive de l'enfant d'avec ses parents lorsque l'enfant arrive pour la première fois dans un contexte nouveau.

Attitudes

- essayer d'abord d'établir de loin un contact physique immédiat. Ne jamais insister si le bébé semble mécontent ;
- parler avec une voix calme et douce qui invite l'enfant à se sentir à l'aise face à la nouvelle personne et face à l'environnement en général. Toujours s'approcher de l'enfant avec prudence, car même une personne très familière peut provoquer de la peur si elle intervient brusquement ou si elle traite l'enfant comme un objet inanimé ;
- attendre que l'enfant prenne l'initiative de s'approcher de la personne plutôt que de la lui imposer. Respecter toujours le rythme de chaque enfant ;
- demeurer attentif aux signaux de confiance exprimés par l'enfant : sourire, mouvement de bras, fixation des yeux, acceptation d'un jouet offert par l'éducateur, etc.

Organisation matérielle

- demander aux parents d'apporter des objets familiers et précieux pour l'enfant, ce qui favorise une meilleure acceptation de la séparation, et permettre à l'enfant de le garder avec lui aussi longtemps qu'il en ressentira le besoin.

Sept à douze mois

Le développement du langage verbal

Sept mois : • *production spontanée de consonnes et de voyelles qui lui permet de développer les muscles de sa bouche. Il y a des progrès dans le gargouillis: «mam-mam-mam» quand il pleure: «ah-ah-ah-oh-oh-oh-eh-eh».*

Huit mois : • *consonnes individuelles « da, ba, ca ». Une consonne peut être précédée d'une voyelle « ah-da », mais en accentuant la consonne.*

Neuf mois : • *combinaison précise de deux ou plusieurs consonnes, mais sans avoir une signification spécifique. C'est-à-dire « ma-ma » ne signifie pas nécessairement qu'il appelle sa mère. Début d'imitation de sons, des mouvements et des bruits produits avec la bouche. Il comprend et il répond au « non-non ». Il distingue son propre nom.*

Dix mois : • *« maman, papa » avec signification. De plus, il a généralement un « mot » qui est un son utilisé pour référer à une action, à un objet ou à un groupe d'objets, même s'il n'est pas possible de les reconnaître de façon articulée. Il peut dire « tata » ou faire le signe de « au revoir », peut faire « coucou » et applaudir. Il imite des phrases de l'adulte. Il devient de plus en plus articulé, et les sons acquièrent progressivement une signification. Il démontre un nouvel intérêt pour les mots, autant comme « récepteur » que comme «producteur ».*

Douze mois : • *vocabulaire de deux mots, à part « maman, papa ». Il comprend quand on lui demande de donner un objet et le dépose dans la main de l'adulte.*

Situations

- nommer chaque chose par son nom. L'enfant s'habituera progressivement au son jusqu'à ce qu'il arrive à comprendre la signification du terme ;
- placer l'enfant en face d'un miroir et lui montrer les différentes parties du visage et du corps.

Attitudes

- utiliser des phrases courtes et précises et répéter toujours clairement les mots ;
- observer le nombre et la variété de sons émis spontanément par l'enfant et les renforcer en les répétant après lui. Cependant, s'adresser toujours à l'enfant avec un vocabulaire d'adulte, mais simple, puisque c'est ce modèle que l'enfant arrivera à comprendre et à exprimer ;
- répéter les sons émis par chaque objet afin de stimuler l'imitation chez l'enfant ;
- inviter l'enfant à imiter des sons qui lui sont familiers, entretenir des conversations en répétant après lui ses tentatives de vocalisation ;
- provoquer l'imitation des gestes et des sons tels que saluer avec la main, souffler, siffler, lancer un baiser, frapper des mains, etc. ;
- observer les monologues de babil auxquels le bébé s'adonne quand il est seul. Ne jamais interrompre ces monologues ;
- remarquer et encourager toutes les tentatives pour communiquer. Suivre avec intérêt en encourageant l'évolution du langage.

Organisation matérielle

- aménager le local avec des formes et des couleurs stimulantes, de manière à inviter l'enfant à s'exprimer dans le même esprit que celui proposé dans les pages précédentes. L'enfant se sent valorisé et s'intéresse à son environnement quand il est entouré d'un milieu attrayant ;
- augmenter le nombre et la variété d'objets sonores et d'éléments dont il peut faire sortir des sons, c'est-à-dire différents types de hochets, cloches, boîtes à musique, contenants en acier, bâtons, etc.

Situations

- choisir un moment de calme pour écouter de la musique.

Attitudes

- éviter de distraire l'enfant avec d'autres centres d'intérêts lorsqu'il écoute la musique. Cet exercice d'écoute sert à préparer le bébé à apprendre à se concentrer avant de reproduire un son.

Organisation matérielle

- choisir des airs dont le rythme est bien marqué.

Situations

- reproduire des bruits de l'environnement (l'eau qui coule, la fermeture d'une porte, l'outil qui tombe, etc.) et les bruits des animaux.

Attitudes

- profiter de toute occasion pour faire entendre le bruit des objets et des animaux ; les répéter plusieurs fois pendant une journée, afin de faciliter le processus de mémorisation. Cependant, l'enfant ne peut associer le son avec l'objet ou l'animal que lorsque ceux-ci deviennent significatifs pour lui. Si l'enfant n'a jamais vu un chat ni son image, il pourra difficilement l'imiter ;

Organisation matérielle

- offrir des livres d'images, des disques qui mettent en relief des bruits spécifiques.

Situations • offrir une bouteille vide dans laquelle l'enfant pourra souffler et produire des sons.

Attitudes • prononcer toujours le mot « encore » quand un même jeu est répété. Utiliser le même principe de répétition du jeu pour présenter des chansons ou des boîtes à musique. La durée de ces jeux doit être courte, afin de garder l'intérêt du bébé et de pouvoir recommencer immédiatement.

Situations • faire des jeux de mime rythmés avec les doigts et avec les mains, des jeux suffisamment simples pour que l'enfant puisse les imiter.

Attitudes • maintenir le jeu pendant un instant et, lorsque le rythme semble déjà familier à l'enfant, essayer de se taire pour que l'enfant puisse continuer par lui-même.

Situations • prendre le bébé dans les bras et danser avec lui au rythme de la musique. Placer le bébé par terre en restant tout près de lui et en observant s'il continue les mouvements de danse.

Attitudes • encourager les occasions d'écoute et d'imitation afin de favoriser la compréhension de l'environnement;

• essayer de parler le plus distinctement possible devant le bébé, même si la conversation ne lui est pas adressée, puisqu'il s'amuse à écouter des conversations.

Tableau synthétique du portrait de l'enfant de treize à dix-huit mois

Le développement sensorimoteur

A) VISION, PRÉHENSION, AUDITION
- — La résolution des problèmes
- — L'évolution du comportement imitatif
- — La motricité fixe

B) LOCOMOTION
- — L'acquisition de la marche
- — Les diverses formes de déplacements et d'exploration constante

Le développement socio-affectif

- — L'estime de soi
- — Le comportement agressif
- — L'interaction enfant-enfant

Le développement du langage verbal

Tableau VII

Synthèse du développement de l'enfant de treize à dix-huit mois

ENTRE	Organisation perceptive et contrôle du geste				Contrôle du corps		Découverte de soi
	Vision	Audition	Préhension et manipulation	Phonation (Langage verbal)	Locomotion	Activités physiologiques	Sociabilité et affectivité
13 mois	Aime regarder les images d'un livre. Perçoit les premières formes géométriques. Dispose d'un regard présélectif.	Essaie vraiment de chanter.	Peut tenir la tasse pour boire. Aime tenir de petits objets. Peut placer 1 pièce sur un jeu d'encastrement pour 1 pièce. Tourne 1 ou 2 pages d'un livre.	Aime les phrases rythmées. 3-4 mots à part « maman-papa ». Amorce une sorte de jargon ayant des sons et des tonalités différentes. Comprend le nom de certains objets.	Monte des marches. Se tient seul debout, marche. S'agenouille sur une chaise. Aime pousser des jouets.	Fait 1 sieste. Dort mieux dans une pièce obscure. Prend 3 repas, en plus de 1 collation.	Coopère lorsqu'on l'habille. Capable de démontrer les premiers signes de jalousie, ainsi que de manifester sympathie et anxiété.
15 mois	Emboîte des objets, les sépare, les lance, jette une balle, va la chercher, etc.	Reconnaît des bruits familiers. Peut pleurer si les bruits sont trop soudains. Observe, écoute et se dandine au son de la musique.	Aime jeter des choses, retourner et vider des paniers. Veut tenir et porter un objet dans chaque main. Montre du doigt ce qu'il désire.	Prononce 4-6 mots en plus des noms. Les mots deviennent plus significatifs. Les vocalises sont de plus en plus riches, ressemblant à une phrase.	Peut trottiner. Marche seul. Bouge constamment. Aime fermer les portes.	Veut manger seul avec ses doigts. Aime essayer la cuillère. Commence à prendre conscience d'avoir sali sa culotte.	Veut être propre. Peut même le demander.
et 18 mois	Construit une tour de 3 ou 4 cubes, les renverse.	Chante des syllabes. Répond rythmiquement à la musique.	Peut ôter ses souliers, son chapeau, ses mitaines, descendre une fermeture éclair. Tourne les pages des livres.	Prononce 10 mots incluant les noms propres. Peut nommer et signaler des images d'un livre. Exprime des actions terminées. Répond à quelques ordres verbaux simples.	Marche à reculons. Court de façon saccadée et un peu raide. Tire, traîne, pousse, vide, arrache, frappe, pousse du pied un ballon. Aime transporter des objets.	Tient la cuillère horizontalement, lève le coude en portant la cuillère à la bouche. Place la nourriture dans la cuillère avec ses doigts. Commence à indiquer qu'il veut aller à la salle de bain.	Joue seul en tournant le dos aux autres. Tire, pince, pousse, frappe les autres. Accorde plus d'importance aux approbations et aux désapprobations. Veut participer aux activités.

Treize à dix-huit mois

Le développement sensorimoteur

Vision, préhension, audition

Résolution des problèmes: *Au début de la deuxième année (et parfois même avant), l'enfant fait des efforts pour résoudre des difficultés qu'il rencontre. Ainsi, par une expérimentation active, l'enfant découvre toute une série de nouveaux comportements. Par exemple, il peut se servir d'un bâton pour approcher un objet plus éloigné. Grâce à ce processus d'action par l'action, l'enfant devient capable de réfléchir à l'avance et d'anticiper les résultats. Ce déploiement d'intelligence passe du plan moteur et gestuel au plan de la représentation mentale.*

Situations

- placer un jouet relativement éloigné sur une table de la hauteur de l'enfant. Laisser à la disposition de l'enfant des baguettes afin de l'inviter à rapprocher l'objet avec la baguette;
- attacher un grelot à une corde et le placer au bout de la table. Laisser l'enfant tirer la corde pour rapprocher le jouet. Plus tard, lorsqu'il commencera à maîtriser le jeu, ajouter deux cordes, mais sans rien attacher à leur bout et les placer de façon parallèle à la première.

Attitudes

- décrire verbalement les événements pendant qu'ils se déroulent. Répéter le même jeu à des endroits différents, tout en gardant, les premières fois, les mêmes contraintes, c'est-à-dire trois cordes et l'objet attaché à l'une d'elles, toutes les trois laissées à la vue de l'enfant. Au début, le bébé sera plutôt intéressé à la corde, puis à l'objet, et ce n'est que plus tard qu'il arrivera à associer ces deux stimuli.

Situations

- offrir un établi à chevilles en bois et laisser l'enfant taper vigoureusement les chevilles avec le marteau.

Attitudes

- accepter le bruit que ce jeu produit car il sert à extérioriser des sentiments agressifs ainsi qu'à coordonner les mouvements du bras. Il favorise en même temps l'attention auditive de l'enfant.

Situations

- offrir des jouets en caoutchouc mou qui font un petit bruit lorsqu'on les presse. Au début, le bébé cherchera à trouver la source du son et, une fois qu'il l'aura découverte, il essaiera de le provoquer.

Attitudes

- remarquer que durant les premières années, l'enfant peut surtout jouer des instruments de percussion plutôt que des instruments à cordes ou à vent.

- Choisir toujours des instruments émettant des sons justes et harmonieux afin de développer convenablement la sensibilité auditive de l'enfant.

Organisation matérielle

- offrir des boîtes de toutes tailles avec leurs couvercles pour que l'enfant s'amuse à les frapper, les remplir, les vider, les ouvrir et les fermer, etc. Mettre aussi à la portée des enfants des formes géométriques variées, des anneaux (de tailles décroissantes) à enfiler sur une tige, des oeufs gigognes, des jeux de pyramides, etc.;

- créer un coin d'instruments de percussion mis à la disposition des enfants. Dans ce coin, on peut trouver des xylophones, des baguettes, un tambour, un petit gong chinois, des castagnettes avec une poignée, des triangles, des petites cloches, etc.

Situations

- présenter le premier jeu d'encastrement (casse-tête);

- favoriser la manipulation des petits objets.

Attitudes

- choisir un jeu d'encastrement qui ne porte qu'une pièce, de préférence en bois, dont l'image, la forme et les couleurs sont très simples et sont familières à l'enfant (par exemple, un ballon). Cette pièce doit pouvoir s'encastrer dans une base, également en bois, creusée suivant le contour de la figure (ou pièce). Elle doit être suffisamment grande pour que le nourrisson puisse la manipuler convenablement. Dès que l'enfant sera familier avec le jeu, augmenter à deux le nombre de pièces et garder encore des formes entières;

- éviter de présenter des formes coupées car l'enfant n'est pas encore capable de se représenter et de reconstituer une figure divisée en fractions;

- surveiller de près l'enfant pour éviter qu'il porte à la bouche des objets dangereux.

Organisation matérielle

- ranger les jeux d'encastrement dans une étagère spécialement réservée pour ces jeux, car lorsque les pièces se mêlent avec d'autres jouets, ce jeu perd tout son intérêt.

Situations

- donner deux ou trois pièces de construction pour les empiler ou les mettre dans une boîte. Varier la texture et le type des pièces (c'est-à-dire des cubes en bois, en plastique, en caoutchouc ou recouverts de tissu, etc.);

- profiter de toute occasion où l'enfant est accompagné d'un adulte pour le laisser essayer d'ouvrir les portes par lui-même.

Attitudes

- laisser l'enfant découvrir lui-même les possibilités offertes par des jouets et les façons de s'en servir;

- présenter à l'enfant un ou deux types de jeux à la fois pour qu'il choisisse. Essayer de graduer le niveau de difficulté;

- voir à ce que les coins des pièces en bois ou en plastique soient suffisamment arrondis. Surveiller toujours l'aspect sécuritaire du matériel.

Organisation matérielle

- être conscient de l'intérêt de l'enfant, vers quinze mois, pour les portes qui s'ouvrent en tournant la poignée. Prendre les précautions nécessaires pour les portes conduisant à la rue, à un escalier, etc. ;

- réviser au moins une fois par mois la qualité et la variété du matériel mis à la disposition de l'enfant, car ce dernier se désintéressera d'un matériel trop facile ou trop familier.

Comportement imitatif comme moyen d'apprentissage : *Ce comportement évolue considérablement pendant cette période. L'enfant expérimente de façon active en cherchant toujours de nouveaux effets par le biais de l'exploration.*

Attitudes

- se rappeler toujours que toute la personnalité de l'adulte devient un modèle constant d'imitation et d'apprentissage pour l'enfant, même quand il semble être occupé à autre chose ;

- inviter l'enfant à aider dans certaines tâches simples, comme essayer de ramasser les jouets. Valoriser chaque essai du bébé ;

- favoriser au maximum l'autonomie de l'enfant en lui permettant d'imiter certains actes. Ainsi, par exemple, il peut tenir la tasse pour boire seul, il peut aider à s'habiller en mettant un bras dans son manteau, il peut enlever ses souliers et, vers dix-sept mois, enlever ses chaussettes.

Situations

- inviter l'enfant à souffler des objets légers, par exemple des bulles de savon. Ce jeu implique une imitation des gestes de l'adulte ainsi qu'une coordination visuelle et gestuelle vis-à-vis l'objet à souffler ;

- proposer à l'enfant des expériences qui développeront son sens olfactif, en lui montrant comment sentir un fruit ou une fleur. Nommer l'objet senti (« ça sent la banane »), de sorte que l'enfant ait progressivement accès à de nouveaux moyens d'explorer les objets de son environnement ;

- montrer les yeux de l'adulte et demander à l'enfant de montrer les siens. Continuer avec d'autres parties du corps.

Attitudes

- commencer par souffler doucement sur le visage du bébé pour qu'il comprenne graduellement le sens du terme ;

- placer l'enfant face à un miroir pour qu'il puisse voir son propre corps. Accorder suffisamment de temps à l'enfant pour qu'il recherche les parties nommées sur son propre corps.

Organisation matérielle

- placer un miroir qui permet de regarder le corps au complet. L'installer de préférence dans un endroit où les enfants s'expriment davantage par des gestes afin de les amener à s'observer;

- choisir des odeurs naturelles. Une fois l'activité terminée, ranger ce matériel dans un endroit hors de portée des enfants;

- placer dans le coin de la maison quelques vêtements d'adultes tels que des chapeaux, des robes, des casques, des souliers, des bijoux, etc., que l'enfant pourrait porter à n'importe quel moment de la journée; prévoir une variété de poupées (de divers types), d'animaux et de marionnettes qui serviront à l'enfant pour reproduire des expériences déjà vécues.

Motricité fine : *Les activités de gribouillage exigent une coordination des yeux et des mains qu'il faut stimuler dès cet âge. Ainsi, vers quinze mois, alors qu'il a un meilleur contrôle manuel, les mouvements du bras ralentissent et commencent à se coordonner avec les mouvements des yeux. Plus tard, vers l'âge de dix-huit mois, lorsque l'enfant découvre qu'il peut tracer des lignes en frottant un crayon, il commence à différencier les types de traits par rapport à l'outil.*

Situations

- procurer au bébé un gros crayon de cire ou de mine et du papier;

- donner du papier que l'enfant puisse déchirer, froisser et lui faire entendre le bruit produit par le froissement, etc. Une fois cette activité terminée, approcher un panier et demander à l'enfant d'aider l'adulte à nettoyer la salle et à remettre ensuite le panier à sa place.

Attitudes

- dessiner une ligne et souligner le fait que le crayon a permis de créer cette ligne qui était inexistante avant d'avoir frotté légèrement le crayon contre le papier;

- accorder un temps d'apprentissage pour la prise du crayon et laisser ensuite l'enfant expérimenter cette activité à son aise;

- les activités qui consistent à ramasser et à nettoyer peuvent être faites sous forme de jeu; encourager toujours de façon positive à collaborer.

Organisation matérielle

- choisir une feuille de papier assez grande pour que l'enfant puisse l'explorer librement avec son crayon;

- laisser à la disposition de l'enfant, dans un endroit spécialement réservé aux premières explorations artistiques, des crayons de cire et de mine. Lorsque l'enfant devient plus habile, offrir des crayons feutres non toxiques et solubles à l'eau;

- installer contre le mur de grands panneaux pour que l'enfant puisse barbouiller librement. Afficher au-dessus, à la vue de l'enfant, ses dessins afin qu'il puisse les apprécier. Remplacer régulièrement les travaux par de nouveaux.

Situations

- initier l'enfant à la pâte à modeler ;
- initier l'enfant à la peinture aux doigts.

Attitudes

- éviter de donner la « plasticine » commerciale pour initier le jeune enfant au modelage, puisque celle-ci est généralement plus dure à manipuler que la pâte ;
- laisser l'enfant manipuler librement le matériel et même le goûter, puisque les ingrédients ne sont pas toxiques. Essayer de faire profiter au maximum l'enfant de cette expérience sans le pousser à reproduire des formes précises. Il a besoin de prendre le temps nécessaire pour se familiariser avec ce matériel ;
- prendre les précautions nécessaires pour que l'enfant puisse salir ses vêtements sans problème. L'encourager à se détendre et à exploiter librement ces médias. Éviter de donner des règles de comportement ou des instructions sur les façons d'utiliser ce matériel. Ne jamais forcer l'enfant. Respecter toujours les besoins, les capacités, les intérêts et les habiletés individuelles de chaque enfant.

Organisation matérielle

- libérer une table facile à laver sur laquelle l'enfant pourra travailler avec la pâte à modeler, la peinture et pourra ainsi exercer ses mains, ses bras ainsi que son son esprit créateur. Choisir un endroit où le plancher est lavable.

Treize à dix-huit mois

Le développement sensorimoteur

Locomotion

Pendant le premier semestre de la deuxième année, l'enfant acquiert assez de stabilité dans la position debout, et la marche devient de plus en plus assurée, lui facilitant ainsi l'exploration et la découverte de son environnement. Les principales caractéristiques sont les suivantes:

Treize mois :
- *peut monter quelques marches dans l'escalier ;*
- *reste debout sans appui.*

Quatorze mois :
- *marche seul ;*
- *se met à genoux sur une chaise ou sur le plancher.*

Quinze mois :
- *monte les escaliers ;*
- *peut trottiner ;*
- *bouge constamment, est sans cesse en mouvement, part, s'arrête, repart, grimpe, escalade ;*
- *peut rester assis pendant le repas et commence à aimer manger seul.*

Seize mois :
- *aime pousser des jouets et des objets.*

Dix-sept mois :
- *monte sur une chaise.*

Dix-huit mois :
- *marche à reculons, tire une voiture à reculons ;*
- *court de façon saccadée et un peu raide ;*
- *tire, traîne, pousse, décharge, arrache, frappe, pousse du pied un ballon ;*
- *aime transporter des objets, fermer les portes.*

Situations

- placer un jouet au bord d'une table plus haute que l'enfant pour qu'il se tienne debout tout en s'étirant pour le saisir ;
- tenir un cerceau d'un côté et inviter l'enfant à prendre l'autre côté pour se lever. Avancer lentement en faisant ainsi marcher l'enfant ;
- faire rouler un ballon et demander à l'enfant de le saisir et de le rapporter.

Attitudes

- observer le style de marche de l'enfant lorsqu'il commence à marcher, car à mesure qu'il acquiert de l'expérience, il resserre graduellement ses pieds et avance de façon plus rythmée. Il ressent le besoin de regarder et de surveiller ses pas et il observe constamment la position de ses jambes afin d'éviter les obstacles. Remarquer aussi comment, parfois, l'enfant a tendance à marcher sur la pointe des pieds, afin d'acquérir une position debout plus stable;

- encourager au maximum toute tentative pour marcher seul, pour pousser un objet, etc. Favoriser toute tentative d'autonomie dans ses mouvements, mais surveiller les portes de sortie, les escaliers ou toute autre possibilité de danger.

Organisation matérielle

- offrir des wagonnettes, des véhicules divers, de tailles variées mais relativement petites afin de stimuler l'enfant à pousser le jouet en marchant, des véhicules qui comportent des figures géométriques à emboîter ou des personnages à incorporer, etc. Tout jouet à roues est important à cet âge, pourvu que les quatre roues fonctionnent bien, car une roue en moins peut déranger l'enfant lorsqu'il tire son jouet;

- placer à la vue de l'enfant des ballons et des balles de couleurs vives dont le mouvement l'incitera à se déplacer;

- installer dans un coin de la garderie ou en plein air, ou aux deux endroits, un petit labyrinthe. Ce labyrinthe est formé d'une barre horizontale pouvant être fixée à la hauteur de l'enfant, afin qu'il puisse le saisir en se dressant sur la pointe des pieds. Ce jeu peut offrir une petite échelle solidement fixée aux poteaux verticaux, une glissoire légèrement élevée et des planchers disposés à des niveaux divers.

Treize à dix-huit mois

Le développement socio-affectif

Estime de soi : *L'attitude d'acceptation de l'adulte et son comportement raisonnablement permissif en ce qui concerne le besoin de l'enfant d'explorer et de devenir autonome favorise le développement d'un sentiment de confiance en soi, d'indépendance et de spontanéité. Par contre, l'enfant qui est surprotégé ou trop restreint devient facilement anxieux et dépendant, et a tendance à éviter de nouvelles situations. L'idée que l'enfant se fait de lui-même est fonction de la qualité de la relation qu'il a avec des adultes significatifs. L'enfant qui se sent aimé développera une attitude positive devant toute situation nouvelle et il aura suffisamment de confiance en lui pour relever ces défis. L'enfant qui se sent rejeté développera une insécurité qui se manifestera à l'occasion d'événements sociaux ou lorsqu'il doit entreprendre des apprentissages cognitifs. Ces sentiments sont à la base du type de personnalité que l'enfant développera.*

Attitudes

- profiter de toutes les occasions pour valoriser les gestes positifs et les efforts démontrés par l'enfant. Contrairement à certaines croyances, ce type de renforcement ne forme pas une personnalité arrogante ; au contraire, il lui donne un modèle de conduite sociale constructive ;

- aider l'enfant à résoudre un problème seulement « au moment opportun », c'est-à-dire lorsque l'intervention de l'adulte ne sera pas perçue par l'enfant comme une limite de ses efforts. Demeurer attentif au moment où l'aide pourrait desservir plutôt que favoriser l'enfant. Les moments varient avec chaque enfant ;

- respecter toujours l'enfant en tant que personne et valoriser ses efforts et ses découvertes ;

- souligner les réussites et ignorer les erreurs commises par l'enfant. Si ces dernières sont trop évidentes et si l'enfant semble chercher un commentaire de l'éducateur, respecter l'effort fourni et l'encourager à recommencer. Éviter à tout prix de ridiculiser l'enfant parce qu'il a commis une erreur ;

- éviter l'utilisation de termes visant à faire honte à l'enfant pour un acte considéré comme inadéquat par l'adulte ; la honte n'est jamais source de progrès ;

- faire attention au ton de voix et à l'expression de son regard lorsqu'on (adulte) s'adresse aux jeunes enfants. Dès le jeune âge, ceux-ci sont sensibles au climat affectif qui les entoure. Il faut éviter autant que possible de projeter les problèmes personnels adultes dans la relation avec l'enfant ;

- garder une véritable attitude d'encouragement individualisé et d'amour envers l'enfant, afin de lui montrer clairement qu'il constitue un élément important du groupe.

Organisation matérielle

- penser à un aménagement qui prévoit une place spéciale pour le rangement des vêtements et des objets personnels de l'enfant; cela contribue à la formation d'une idée positive de soi-même.

Comportement agressif : *Un enfant qui reçoit suffisamment de compréhension, d'amour et de stimulations crée rarement des occasions d'être puni. L'enfant réagit à une éducation sociale trop exigeante et trop restrictive par un comportement hostile et agressif dirigé envers la personne représentant l'autorité. Ainsi, on peut observer des réactions de rage, d'irritabilité et de pertes d'autocontrôle limitées par des restrictions imposées trop précocement (par exemple, contrôle de la vessie, défense de manger avec les doigts, etc.), qui peuvent compromettre sérieusement les relations adulte-enfant. Les manifestations agressives les plus fréquentes, pendant les deux premières années, sont les crises de colère manifestées habituellement sous forme d'explosions, d'activités motrices, et le négativisme généralisé. Vers la fin de la deuxième année, on peut aussi observer un langage agressif.*

Attitudes

- garder une attitude cohérente et systématique dans les limites raisonnables ; cela permet à l'enfant d'apprendre à obéir de façon intelligente, sans routine ni obéissance automatique ;

- essayer d'être calme et tolérant quand l'enfant éprouve de la colère. Il faut déceler la source de la colère pour en favoriser le contrôle ;

- éviter les méthodes disciplinaires qui comprennent des punitions physiques, car elles ne constituent que des renforcements négatifs à un comportement visant généralement à attirer l'attention de l'adulte. L'enfant peut d'ailleurs s'habituer à ces méthodes au point de devenir capable de prévoir la réaction de l'adulte ; il peut même supporter la douleur afin de conserver l'attention de ce dernier. L'enfant finit par s'ancrer dans le négativisme ;

- éviter d'exiger de l'enfant un contrôle des manifestations agressives qui dépasse ses capacités. Les techniques de contrôle des comportements agressifs sont assez souples : ignorer le comportement sans faire ni geste, ni remarque ; enlever tranquillement la source du problème et détourner l'attention en expliquant pourquoi tel geste agressif est répréhensible ;

- utiliser des explications simples, courtes et compréhensibles de l'enfant. Modifier le contexte situationnel (exemple : on change de jouet, de compagnon, d'activité, etc.).

Les techniques de socialisation fondées sur les expressions d'amour permettent à l'adulte d'utiliser des renforcements positifs variés en fonction des objectifs à atteindre. Ainsi, le nourrisson apprend à s'autocontrôler et peut modifier un comportement considéré comme indésirable à mesure qu'il devient capable d'anticiper la perte temporaire d'amour reliée à sa conduite ; il cherche alors à plaire à l'adulte pour garder son amour. Le bébé se sent rassuré, accepté par les autres et en sécurité lorsque son comportement provoque des réactions agréables chez l'adulte. Par contre, lorsque les techniques de socialisation se limitent à des menaces de punitions physiques ou de privation maternelle, l'enfant réagit par la peur, puis risque de développer un sentiment de culpabilité exagéré vis-à-vis son propre comportement qui conduira à une idée négative de lui-même.

Attitudes

- utiliser toujours des mots et des gestes d'encouragement, que ce soit pour maintenir ou pour modifier un comportement. Ainsi, il est important d'associer l'acte au comportement du moment au lieu de généraliser l'acte à toute la personnalité de l'enfant. Par exemple, il serait mieux de dire : « tu as très bien réussi cela », ou « la prochaine fois, tu réussiras davantage » plutôt que de lui dire « tu es très intelligent (ou très bon) parce que tu as fait cela », ou « tu n'es pas capable de faire ceci » ;

- utiliser aussi une attitude positive pour essayer de modifier un comportement. Aussi, il vaut mieux lui dire : « maintenant, montre-moi que tu peux jouer doucement, sans faire autant de bruit, parce qu'il y a des enfants qui se reposent » plutôt que « arrête de faire ce bruit, tu déranges ! », etc. ;

- éviter le chantage comme moyen de socialiser l'enfant (c'est-à-dire « si tu ne fais pas telle chose, tu n'auras pas telle chose », etc.). Offrir plutôt un choix et garder surtout une attitude cohérente avec ce qui a été promis. « Tu peux avoir cette chose quand tu auras fini de jouer avec l'autre » ;

- l'enfant apprendra progressivement à assumer les conséquences de ses comportements ;

- respecter toujours la promesse faite auparavant quand le résultat recherché a été obtenu. Si le résultat demandé n'est pas atteint, il faut aussi respecter l'engagement. Un comportement incohérent peut signifier pour l'enfant la perte de confiance envers l'univers adulte et l'échec éventuel de ses tentatives de socialisation.

Interactions enfant-enfant : *Même si l'enfant n'est pas encore prêt à participer à des activités organisées pour le groupe, il prend plaisir à jouer avec d'autres jeunes et à imiter leur comportement.*

Situations

- profiter des occasions où il y a un nouveau venu dans le groupe pour éveiller des rapports positifs envers l'enfant qui arrive en confiant aux enfants plus âgés certaines petites responsabilités telles que montrer l'emplacement des jouets, aider à enlever ou à mettre le manteau, etc.

Attitudes

- renforcer chez les enfants des gestes de caresses et de respect entre eux en valorisant ces actes chaque fois qu'un enfant les exécute spontanément ;

- stimuler régulièrement le désir d'aider et de consoler un partenaire.

Treize à dix-huit mois

Le développement du langage verbal

Treize mois:
- *trois ou quatre mots en plus de « maman, papa ». Il est possible d'observer un jargon qui commence par la présence de différents tons, de sons et de pauses. Ce jargon a l'air de se composer de phrases prononcées dans une langue étrangère. L'enfant comprend le nom d'un objet quand on lui demande où se trouve, en faisant signe ou en regardant, l'objet mentionné.*

Quinze mois :
- *quatre à six mots à part les noms. Les mots prennent une signification plus précise et l'enfant devient capable de nommer les personnes qui lui sont assez familières. Les vocalises sont plus nombreuses et plus élaborées, et elles se rapprochent davantage d'une phrase.*

Dix-huit mois :
- *dix mots incluant les noms. Le nourrisson peut nommer et montrer des images dans un livre. Le langage s'articule graduellement.*

Situations
- montrer et nommer l'image d'un animal connu et imiter ensuite son cri ;
- désigner les yeux de l'adulte et demander à l'enfant de montrer et de nommer les siens.

Attitudes
- essayer de faire reproduire ces sons par l'enfant ;
- continuer le jeu avec d'autres parties du visage, en accordant suffisamment de temps à l'enfant pour qu'il trouve ses propres parties ;
- utiliser toujours un langage concret, clair et bien articulé. L'enfant est capable de comprendre plus qu'il ne reproduit et c'est grâce aux occasions d'entendre et de comprendre qu'il réussira à développer son langage ;
- parler à l'enfant et avec l'enfant, en respectant toujours son rythme.

Organisation matérielle
- offrir un miroir pour que l'enfant se regarde vocaliser. Se placer face à un miroir et ensuite changer de place en répétant le même jeu, afin de stimuler l'enfant à chercher à tâtons.

Situations
- regarder un livre avec l'enfant et lui demander d'indiquer un des objets qu'il regarde ;

- apprendre à l'enfant de petites chansons dans lesquelles il devra compléter la phrase par la rime ou le mot correspondant.

Attitudes

- répéter correctement le mot que l'enfant a essayé de dire, mais en respectant surtout ses efforts sans se moquer de ses tentatives puisqu'il n'apprendra à parler correctement que dans la mesure où le renforcement sera positif et régulier ;
- essayer de lui faire nommer, mais sans insister sur la prononciation. Toutefois, l'adulte peut nommer clairement l'objet et ce, au cours de conversations avec l'enfant, pour le familiariser avec la prononciation des noms ;
- éviter d'insister pour que l'enfant reprenne correctement le mot, car il doit se sentir libre et à l'aise pour agir spontanément.

Organisation matérielle

- placer des livres, des catalogues, des revues à déchirer, dans un endroit bien précis, à la portée de l'enfant ;
- offrir des poupées et des animaux variés susceptibles de susciter les interactions verbales avec le bébé.

Situations

- nommer des séquences d'activités à réaliser capables d'éveiller la notion de temps telles que « avant de manger on va se laver les mains », etc. ;
- montrer un jeu de loto ayant quatre à six images claires et simples. Montrer aussi le petit carton représentant une des images identique à l'une de celles reproduites dans le jeu de loto et demander à l'enfant de trouver l'image semblable.

Attitudes

- favoriser au maximum et en tout temps les sorties à l'extérieur de la garderie. Préparer la sortie en annonçant à l'avance le lieu à visiter ; prévoir le type de vêtement, ainsi que les précautions à prendre selon l'activité prévue afin de stimuler la capacité d'association causale, temporelle et spatiale qui est encore assez sommaire à cet âge ;
- prononcer clairement les termes« avant », « après », « maintenant », même si l'enfant ne les utilise pas pour l'instant. Nommer également sans insister les positions et les distances précises des objets par rapport à la personne, pour que l'enfant acquière progressivement la compréhension concrète de ces notions. Cependant, il ne sera en mesure d'utiliser ces termes que dans quelques années (loin, proche, etc.) ;
- nommer clairement les images et laisser l'enfant manipuler les cartons à son aise. Il apprendra graduellement à associer les images ;
- introduire petit à petit de nouvelles images présentées dans les livres ou dans les jeux de loto, en essayant de trouver des objets familiers que l'enfant puisse nommer ;

- demander à l'enfant d'aller chercher un objet familier dans une autre salle et de l'apporter. Donner des indications claires, simples et précises. Ne donner qu'une ou deux consignes à la fois : exemple : « peux-tu m'apporter le ballon qui est dans la boîte des ballons, dans la salle de jeu ? »

Organisation matérielle

- placer tout le matériel à la portée de l'enfant afin de l'inviter à l'utiliser, à le choisir par lui-même et à s'exprimer sur son choix ;
- nommer chaque pièce par son nom, ainsi que chaque partie du mobilier concerné.

Tableau synthétique du portrait de l'enfant de dix-neuf à vingt-quatre mois

Le développement sensorimoteur

A) VISION, PRÉHENSION, AUDITION
- — Le début de la représentation symbolique
- — L'acquisition de la notion de permanence de l'objet
- — Les premières reconnaissances du schéma corporel

B) LOCOMOTION
- — Le saut
- — La course
- — Les mouvements du tronc pour se plier

Le développement socio-affectif

Le développement du langage verbal

Tableau VIII

Synthèse du développement de l'enfant de dix-neuf à vingt-quatre mois

	Organisation perceptive et contrôle du geste				Contrôle du coprs		Découverte de soi
ENTRE	**Vision**	**Audition**	**Préhension et manipulation**	**Phonation (Langage verbal)**	**Locomotion**	**Activités physiologiques**	**Sociabilité et affectivité**
19 mois et 21 mois	Construit une tour de 4 blocs. Aime gribouiller avec force. Peut encastrer deux pièces géométriques différentes sur un jeu d'encastrement.	Répond rythmiquement à la musique, par une activité générale du corps.	Utilise bien la cuillère. Peut verser de l'eau d'un contenant à un autre. Amorce le passage de l'action (aspect sensorimoteur) à l'intention (aspect mental) pour arriver au jeu symbolique et à la résolution des problèmes par la réflexion intériorisée.	Peut prononcer 9 à 12 mots. Peut identifier quelques images dans un livre.	Monte les escaliers. Pousse la balle en marchant. Saute. Court. Debout, peut lancer une balle dans deux directions, mais ne peut pas la recevoir.	Contrôle des sphincters. Contrôle de la vessie pendant la journée. Fait une sieste. Peut présenter des fluctuations dans son appétit.	Commence à acquérir un certain sens de la propriété
22 mois et 24 mois	Peut mouvoir ses yeux plus librement ; est sensible aux champs périphériques, s'arrête pour examiner. Aime les images bien colorées. Peut lancer un objet en direction perpendiculaire et horizontale.	Est très sensible aux sons des sifflets, des clochettes. Aime les instruments de percussion.	Utilise alternativement les deux mains. Remplit, creuse, vide, emboîte, construit, démonte, réajuste. Aime les jouets et les objets qui bougent, fait fonctionner les jouets mécaniques.	Peut prononcer autour de 20 mots. Compose des phrases courtes ; répète les mots, nomme les objets, se nomme par son prénom. Nomme quelques parties du corps.	Monte et descend l'escalier, sans alterner les pieds, une marche à la fois. Court, gambade, traîne, pousse, tire avec une meilleure coordination.	Démontre des préférences marquées pour certains aliments. N'aime pas les mélanges. Peut manger et boire seul. Aime se réveiller tranquillement après la sieste. Différencie mieux les fonctions de l'intestin et de la vessie. Peut vouloir être seul.	Préfère encore le jeu parallèle au jeu de groupe. Observe, mais ne participe pas au jeu de groupe. Accepte difficilement qu'on prenne son jouet. Essaie de raconter ses expériences.

GOOD NIGHT
fernand nathan
bonne fête, Petit Lapin!

Dix-neuf à vingt-quatre mois

Le développement sensorimoteur

Vision, préhension, audition

À cet âge, un changement important a lieu dans le développement de l'intelligence du jeune enfant. On assiste au passage de la découverte par l'action à l'invention des moyens pour résoudre un problème. Alors qu'auparavant il se servait de ses capacités sensorimotrices (regard, toucher, ouïe, goût, odorat et utilisation du corps) pour découvrir un objet, maintenant il commence à combiner mentalement les propriétés des objets et il cherche des moyens nouveaux pour les utiliser. De plus, l'enfant est devenu capable d'établir une relation de cause à effet dans ses démarches de déduction mentale.

Situations

- offrir des jouets démontables et des jouets mécaniques faciles à manipuler afin d'amener l'enfant à rechercher lui-même leur fonctionnement;
- mettre à la portée de l'enfant une boîte ou un panier avec couvercle de sorte qu'il puisse l'enlever pour remplir le contenant d'objets; lui faire choisir un des objets mis dans la boîte et lui demander d'en trouver un autre semblable;
- offrir des cubes en bois ou en plastique.

Attitudes

- observer comment l'enfant découvre de nouveaux moyens d'assembler, d'enfiler, d'emboîter et utiliser les mêmes jeux sensoriels offerts quelques mois avant;
- laisser toujours l'enfant déduire la séquence des formes décroissantes. Éviter de le faire pour lui ou de lui donner un modèle à suivre, car cela nuit considérablement à la capacité de réflexion et à l'esprit créateur de l'enfant;
- se rappeler que pour que ces activités aient un effet éducatif durable chez l'enfant, il faut accorder plus d'importance au processus ou à l'acte de jouer qu'au résultat ou au produit de l'activité même;
- observer comment l'enfant augmente progressivement le nombre de cubes qu'il utilise pour construire une tour, puisque vers vingt mois, il peut utiliser quatre cubes et, à la fin de la deuxième année, il en utilisera déjà cinq ou plus. Laisser l'enfant découvrir les moyens d'équilibrer sa tour.

Organisation matérielle

- placer à la portée de l'enfant des jouets articulés: de gros blocs de construction qui s'emboîtent, des formes géométriques décroissantes, etc.;

- installer dans un coin de la salle un jeu de quilles assez grosses pour que l'enfant les fasse tomber en lançant une boule ;

- offrir des blocs de construction et les premiers modèles du jeu « LEGO » (pièces géantes). Choisir des cubes dont les dimensions soient symétriques et les pointes, suffisamment taillées.

Situations

- présenter un jeu d'encastrement (casse-tête) composé de trois ou quatre pièces qui représentent des images complètes.

Attitudes

- porter une attention spéciale à la qualité de l'image dans le jeu d'encastrement. Les couleurs et les formes doivent être très simples afin de faciliter le processus de représentation mentale de l'image lorsque celle-ci est divisée en morceaux.

Organisation matérielle

- les pièces du jeu d'encastrement peuvent avoir des formes contrastantes (par exemple, une banane, une poire, une pomme, des raisins, etc.) ou avoir la même forme (quatre bananes) mais une grandeur décroissante. Choisir aussi, mais pour un peu plus tard, un encastrement dont les deux ou trois morceaux, une fois assemblés, ne forment qu'une seule image.

Situations

- utiliser le carré de sable et la cuvette d'eau comme des activités courantes.

Attitudes

- encourager l'enfant à explorer le sable et l'eau. Ces expériences permettront à l'enfant de reproduire des expériences vécues ainsi que de s'exercer à transvaser l'eau ou le sable d'un contenant à l'autre.

Organisation matérielle

- se procurer des contenants en plastique, des seaux, des cuvettes, des boîtes, etc. Placer le carré de sable et la cuvette d'eau à un endroit précis à l'intérieur du local, qui soit facile d'entretien.

Situations

- raconter de petites histoires qui invitent l'enfant à la réflexion.

Attitudes

- choisir des histoires simples et brèves susceptibles d'éveiller chez l'enfant un effort de réflexion. Préciser les raisons des demandes faites à l'enfant. Il comprendra mieux et acceptera plus facilement.

Organisation matérielle

- illustrer toujours l'histoire avec des moyens concrets, tels que des images, des cartes séquentielles, des figures en feutre qui collent sur un tableau de feutre, etc.

L'enfant commence à donner un caractère plus symbolique à son jeu ; l'objet devient, dans son monde de fantaisies, un symbole qui suggère l'existence d'une autre chose. Durant cette période, l'enfant peut observer un objet, un événement, une expression verbale ou corporelle ; l'imitation véritable viendra plus tard.

Situations

- encourager les jeux d'imitation et de « faire semblant » tels que se déguiser, faire des jeux de personnages ou d'animaux. Ces situations peuvent se dérouler même à l'intérieur d'autres activités sans que cela ne dérange l'enfant. (Exemple : l'enfant qui garde un chapeau de « cowboy » pendant qu'il ou elle fait une peinture) ;

- revenir régulièrement sur des expériences passées par des petites conversations, des chants, des jeux rythmés. Leur répétition fréquente permettra d'assimiler l'expérience et de l'intégrer à ses apprentissages.

Attitudes

- garder chaque zone de jeu toujours en ordre avant l'arrivée des enfants. Ainsi dès un très jeune âge, il imitera et participera au rangement après avoir joué ;

- aider l'enfant à remettre le matériel à la place qui lui a été assignée une fois qu'il a fini de l'utiliser. Désigner clairement l'activité et donner les noms précis au matériel et au lieu de rangement. Répéter systématiquement chaque jour cette activité, en l'intégrant aux activités de routine. Commencer toutefois par créer une atmosphère détendue et propice aux jeux afin d'en assurer le succès. Laisser graduellement l'enfant ranger lui-même ses jouets ; le féliciter de ses essais ;

- éviter de mettre d'autres jouets que les blocs de construction dans un coffre à jouets. L'enfant peut perdre l'intérêt et le respect de ses jouets lorsqu'il a de la difficulté à trouver les morceaux des jeux et lorsqu'il s'aperçoit que ces jouets peuvent être rangés de n'importe quelle façon. Il faut se rappeler que l'enfant imitera les attitudes des adultes vis-à-vis le matériel et qu'il apprendra à en prendre soin dans la mesure où il aura des exemples positifs à son endroit ;

- favoriser toute occasion d'interaction entre l'adulte et l'enfant ; encourager et valoriser ses fantaisies sans jamais ridiculiser ses inventions. Ces jeux sont essentiels pour développer l'imagination et le monde propre à chaque enfant ;

- éviter de parler de l'enfant en sa présence, car il peut se sentir mal à l'aise sans le laisser paraître.

Organisation matérielle

- maintenir une organisation matérielle qui encourage le jeu symbolique ;

- organiser un coin de la maison avec du mobilier fait à la taille de l'enfant, de sorte qu'il puisse se coucher, s'asseoir à table, etc. Compléter ce coin avec du matériel et des ustensiles, tels que des boîtes d'aliments vides, des assiettes, des casseroles, etc. ;

- placer toujours les jouets sur des étagères convenant à la taille de l'enfant pour qu'il puisse choisir lui-même. Distribuer les jouets sur les étagères de manière à pouvoir bien les identifier. Organiser un autre espace avec de petits véhicules de transport (trains, avions, bateaux, voitures diverses) ainsi qu'avec les personnages correspondant à ces activités (pilote, marin, laitier, etc.) ;

- classifier et ranger le matériel selon la taille du matériel, car l'utilisation qui en est faite répond à des besoins différents (petites voitures de poche, personnages équivalents, etc.) ;

- offrir des vêtements divers qui invitent l'enfant à imiter des personnages familiers et le laisser les porter à n'importe quel moment de la journée ;

- utiliser des marionnetes ou toute autre ressource susceptible d'aider l'enfant à revivre des expériences passées.

Situations

- collectionner toutes sortes de matériaux, des rebuts qui favorisent la capacité créatrice de l'enfant ;

- apporter des livres et des images qui permettent à l'enfant de reconnaître une expérience vécue.

Attitudes

- prendre conscience que l'enfant commence, vers l'âge de deux ans, à assembler des boîtes, des formes géométriques, etc., pour en faire, par exemple, un train avec ses wagons. Observer aussi sa capacité de faire avancer « symboliquement » un cube ou un autre jouet.

Organisation matérielle

- offrir des boîtes vides de différentes grandeurs ou des morceaux de bois susceptibles d'être utilisés par l'enfant, pour en faire un avion, un camion, etc. ;

- installer des téléphones jouets, dans différents coins de la salle et simuler le langage par des jeux d'imitation de conversation.

Situations

- constituer avec les enfants « une boîte au trésor » avec les objets amassés pendant les sorties à l'extérieur ;

- organiser des jeux d'association d'idées, de reconstitution d'objets connus, de construction, de collage, etc., ou laisser simplement l'enfant manipuler ces objets.

Attitudes

- renouveler périodiquement les « trésors » en fonction des expériences vécues. Par exemple, si les enfants ont visité la campagne, introduire dans la boîte de petites tranches d'arbre, des noyaux de fruits, etc. ;

- respecter les façons de faire de l'enfant. Permettre toute liberté de style. Lorsque l'enfant imite des situations ou des objets précis, s'associer à cette initiative pour renforcer le processus de représentation symbolique. Par exemple, si l'enfant fait manger sa poupée, continuer sérieusement le jeu.

Organisation matérielle

- préparer les « boîtes au trésor » avec une variété d'objets tels que cailloux, boîtes, bobines, ficelles, papier, laine, noyaux, coquillages, bouchons de bouteille, etc. Surveiller l'aspect sécuritaire de ces petits objets ;

- installer une cage d'oiseaux, un aquarium et prévoir une place pour divers animaux tels que tortue, lapin, etc., que les enfants pourront observer, toucher et imiter.

L'acquisition de la notion de permanence de l'objet évolue au point que l'enfant n'a plus besoin de voir disparaître l'objet pour le rechercher. Il comprend maintenant que l'objet continue d'exister indépendamment du fait qu'il soit ou non visible et il est capable de se représenter mentalement cet objet avant de le chercher. Par ailleurs, contrairement à la première année de vie où le bébé considérait tout objet comme étant un prolongement de lui, et donc comme faisant partie de lui-même, il comprend maintenant que l'objet est autonome et qu'il peut ou non être visible. Ce comportement s'applique tant aux personnes qu'aux choses.

Situations

- cacher un petit objet dans la main de l'éducateur : garder la main fermée et attirer l'attention sur l'objet caché.

Attitudes

- mettre la main sous un premier coussin, puis sous un deuxième, en annonçant encore l'objet caché, et finalement sous un troisième coussin, tout en attirant de nouveau l'attention de l'enfant. Répéter plusieurs fois le même jeu en alternant l'ordre des cachettes sous les coussins, observer si l'enfant essaie de réfléchir au problème et répéter ce jeu le lendemain afin d'accentuer les jeux d'imitation qui conduiront plus tard aux premières représentations mentales de l'objet.

Organisation matérielle

- choisir des billes ou d'autres objets qu'on peut cacher facilement dans la main, mais en s'assurant qu'elles sont suffisamment grandes pour éviter que les enfants les avalent.

Situations

- placer une bille dans une des boîtes gigognes.

Attitudes

- refermer la boîte pendant que l'enfant regarde et l'emboîter dans la plus grande. Demander à l'enfant de trouver la bille. De plus, ce jeu favorisera la coordination des muscles de la main. Laisser l'enfant expérimenter seul. Éviter d'interrompre l'enfant et d'intervenir en corrigeant, s'il fait une erreur.

Situations

- cacher derrière l'enfant une boîte à musique.

Attitudes

- attendre que l'enfant entende le son et observer s'il essaie de trouver d'où il vient. Donner des instructions claires, simples et précises.

Situations

- demander à l'enfant d'aller chercher un objet familier dans une autre pièce et de l'apporter.

Attitudes

- être attentif aux moments où une difficulté réelle survient, mais respecter son effort pour résoudre un problème. Offrir de l'aider seulement quand il semble incapable d'y parvenir, mais laisser pleine liberté à l'enfant de continuer selon son style.

Premières reconnaissances du schéma corporel : *Vers la fin de la deuxième année, l'enfant peut identifier certaines parties de son corps et il peut même les nommer. Cependant, il semble plus conscient d'abord des orteils que de ses jambes. L'image corporelle s'acquiert à un niveau conceptuel et dynamique à mesure que le corps interagit avec les objets de l'environnement.*

Situations

- initier l'enfant au brossage des dents ;
- prévoir des jeux d'eau dans une piscine ou dans une baignoire ;
- organiser des jeux rythmés au cours desquels l'enfant doit utiliser un membre ou une autre partie de son corps pour exprimer l'acte demandé dans le jeu. Exemple : « Savez-vous planter des choux? »

Attitudes

- prévoir régulièrement la même période de temps dans la journée. Au début, montrer à l'enfant comment le faire en se brossant les dents en même temps que lui. Accorder le temps nécessaire à l'exploration de sa bouche avec la brosse à dents ;
- si la température le permet, permettre aux enfants de se déshabiller et profiter de l'occasion pour leur faire prendre conscience de leur corps et des diverses parties à l'occasion des jeux d'eau ;
- s'adresser toujours à l'enfant en se plaçant à sa hauteur, de façon à favoriser l'échange direct à la hauteur du visage ;
- nommer toujours les parties du corps de façon précise et profiter de toute occasion possible pour les mentionner.

Organisation matérielle

- placer des miroirs suffisamment grands dans lesquels l'enfant peut se regarder au complet. Installer, autant que possible, quelques miroirs dans différents coins de la garderie et particulièrement dans le coin des poupées, de la musique et des jeux de construction, puisqu'il s'agit des coins où l'enfant exprimera plus de mouvements et de gestes ;
- chanter et utiliser des instruments de percussion pour accompagner des jeux qui favorisent les mouvements du corps (danse, jeux rythmés).

Dix-neuf à vingt-quatre mois

Le développement sensorimoteur

Locomotion

Avant cette dernière étape de la période appelée «première enfance», l'enfant atteint l'étape la plus importante de son développement sensorimoteur et socio-affectif. En ce qui concerne la locomotion, il est possible d'observer maintenant les comportements suivants :

Dix-neuf mois :
- *marche en tirant un jouet par une corde ;*
- *monte et descend l'escalier une marche à la fois (sans alterner les pieds).*

Vingt-mois :
- *peut sauter ;*
- *peut courir.*

Vingt et un mois :
- *monte l'escalier en alternant les pieds.*

Vingt deux mois :
- *peut grimper pour se mettre debout sur une chaise ;*
- *peut sauter d'une marche.*

Vingt-trois mois :
- *s'assoit par lui-même à la table.*

Vingt-quatre mois :
- *monte et descend seul l'escalier en alternant les pieds ;*
- *peut plier un peu la taille et les genoux pour ramasser les objets ;*
- *se penche le plus souvent en avant en courant, se blesse au front lorsqu'il tombe ;*
- *peut donner un coup de pied au ballon ;*
- *court, gambade, traîne, pousse, tire avec une meilleure coordination.*

Situations
- inviter l'enfant à sauter alternativement avec beaucoup de force, et ensuite plus doucement.

Attitudes
- faire remarquer la différence dans le bruit produit et dans l'effet ressenti aux pieds.

Organisation matérielle
- disposer des boîtes suffisamment grandes pour que les enfants puissent y entrer et s'y cacher, etc. ;

- s'assurer que l'aménagement du local intérieur et extérieur favorise l'exploration du milieu par l'enfant au moyen de ses capacités locomotrices, de sorte qu'il puisse courir, monter et descendre des escaliers, pousser, tirer, etc. ;

- l'enfant commence à utiliser des points de référence pour apprendre à se situer. Il devient donc important de maintenir des constantes dans l'aménagement, même si le mobilier peut se déplacer selon les activités.

Situations

- suggérer des jeux d'équilibre, tels que marcher sur une ligne relativement épaisse, se tenir sur une balançoire, monter et sauter d'une chaise, etc. ;

- placer trois cubes creux de tailles différentes qui offrent de multiples utilités, telles que s'asseoir, se pencher, se coucher, etc. ;

- organiser un jeu d'imitation avec plusieurs enfants, au cours duquel l'adulte ou un des enfants exécute un mouvement que le groupe doit ensuite répéter. Chercher des mouvements assez évidents, tels que marcher les bras en l'air, lever une jambe, etc.

Attitudes

- encourager l'enfant à utiliser au maximum son corps et à découvrir graduellement de nouvelles sources d'expression. Lui permettre de se traîner par terre ;

- demander à l'enfant d'imiter les mouvements des animaux qu'il connaît ;

- encourager toute initiative créatrice provenant de l'enfant.

Dix-neuf à vingt-quatre mois

Le développement socio-affectif

Vers dix-huit mois, l'enfant est capable de se distinguer des autres personnes et de percevoir des états d'esprit qui ne sont pas les siens. Alors qu'il se mettait à pleurer en présence d'un petit compagnon en larmes, l'enfant de dix-huit mois est maintenant capable d'essayer d'intervenir auprès de celui qui pleure et de tenter de le consoler.

Situations

- utiliser les périodes de repas et d'hygiène pour fortifier leurs relations sociales, soit par des dialogues provoqués par l'adulte avec ses enfants ou par de simples tâches d'entraide ;

- demander l'aide des autres enfants quand un enfant cherche un objet qu'il a perdu de vue ou lorsqu'il a de la peine.

Attitudes

- observer le comportement d'un enfant qui a des épisodes de larmes persistantes, car il peut s'agir d'une difficulté d'adaptation à la garderie ;

- profiter de toutes les occasions susceptibles de multiplier des rapports socio-affectifs positifs entre les enfants, en suscitant des activités communes de jeu et d'interaction ;

- observer l'enfant qui regarde les réactions émotives des autres et voir s'il les imite. Faire un commentaire sur l'état émotif de l'enfant qui a suscité la réaction, qu'il s'agisse de rires ou de crises de larmes ;

- encourager l'enfant qui tente d'en consoler un autre, car cela dénote un progrès considérable dans le développement social, particulièrement dans la formation du concept du moi ;

- observer soigneusement, mais de loin, lorsqu'un conflit éclate entre les bébés. N'intervenir qu'au moment où ce conflit risque de dégénérer en violence. Cela permettra éventuellement aux enfants d'apprendre à résoudre eux-mêmes leurs problèmes et à respecter les droits des autres. Chercher toujours à trouver une solution positive, par exemple, en orientant l'attention de l'enfant « vaincu » par le biais d'une autre activité. Quand cela est possible, expliquer aux enfants impliqués dans l'incident de façon très simple les raisons qui ont motivé la solution choisie. Toutefois, éviter de favoriser un des partenaires quand le déroulement du conflit n'a pas été suivi de près par l'adulte.

Organisation matérielle

- prévenir les formes négatives de conduite en disposant au moins d'un jouet par enfant. Toutefois, il n'est pas nécessaire de fournir le même jouet à tous car l'enfant doit apprendre à partager et à attendre son tour en choisissant entre-temps une autre activité. Cet apprentissage, quoique pénible parfois, constitue une étape importante à franchir dans le processus de socialisation ;

- assurer un aménagement qui permette l'expression totale des sentiments. Soigner la qualité et la quantité des jeux et des activités offerts, afin de faciliter le processus d'adaptation et de suppléer ainsi à la séparation d'avec les parents.

L'interruption brusque d'une activité intéressante est nocive pour l'enfant, car elle l'empêche de compléter ce qu'il a commencé.

Situations

- un arrêt trop catégorique de l'adulte peut déclencher chez l'enfant une réaction d'opposition, de protestation et de larmes, qui risque de s'accentuer ou de devenir un comportement habituel si l'adulte agit ainsi fréquemment.

Attitudes

- préparer doucement et graduellement l'enfant à la fin d'une activité (lorsque celle-ci doit être interrompue) en annonçant la chose quelques minutes à l'avance. Répéter qu'il faut terminer un moment après et, au besoin, offrir de l'aide à l'enfant pour qu'il puisse finir à temps. Se rappeler qu'un très jeune enfant comprend encore peu les raisons des adultes et qu'il faut donc lui accorder suffisamment de temps pour qu'il arrive à associer l'acte et la parole ;

- aider l'enfant à développer un sentiment de sécurité et d'autonomie en l'encourageant toujours à choisir et à réaliser par lui-même ses activités tout en expliquant clairement (quand cela est possible) les limites de cette autonomie ;

- accorder une grande liberté d'action pourvu qu'elle ne représente aucun danger physique, ni pour l'enfant ni pour d'autres personnes ;

- renforcer les sentiments de satisfaction éprouvés à la découverte d'une nouvelle capacité ou habileté et permettre à l'enfant de répéter celle-ci afin de favoriser la confiance en soi. Ainsi, grâce à un comportement spontané autant de la part de l'adulte que de l'enfant, ce dernier deviendra progressivement capable d'affronter des situations nouvelles sans éprouver d'anxiété, et de réagir positivement à un nouveau défi ;

- s'assurer que tout est prêt pour entreprendre la prochaine activité avant d'interrompre celle qui est en cours ;

- réduire au minimum les périodes d'attente, de désarroi et d'ennui causées par un manque d'organisation entre deux activités. Centrer l'attention sur quelque chose d'intéressant pendant l'attente, en évitant ainsi des fatigues et des comportements agressifs entre les enfants.

Organisation matérielle

- aménager le local en laissant les jouets à la portée des enfants, de sorte qu'ils puissent choisir par eux-mêmes. Surveiller les tentatives d'exploration du mobilier, sans restreindre l'enfant, à moins d'un danger évident. Par exemple, permettre à l'enfant de grimper sur un fauteuil, mais montrer aussi comment descendre afin d'éviter une chute.

Dix-neuf à vingt-quatre mois

Le développement du langage verbal

Vingt mois :

- *Vingt mois. L'enfant combine spontanément deux ou trois mots lorsqu'il veut exprimer deux idées séparées : « papa parti », « bébé dodo ». Il demande sa nourriture par des mots, et fait de même pour aller à la toilette. Il répète la fin des phrases des adultes, comme un écho. Il communique aussi en prenant la main de l'adulte et en le conduisant à l'endroit où il veut aller ou encore là où se trouve ce qu'il désire ;*
- *le comportement du langage, qui est étroitement lié au développement social et intellectuel, s'articule graduellement en fonction de l'expérience et de la maturité. Le langage devient moins difficile et l'enfant communique comme s'il se tournait vers le milieu, au lieu de monologues qu'il tenait auparavant.*

Vingt-quatre mois :

- *Le jargon disparaît. Les mots ne sont pas nécessairement clairs, mais l'enfant leur donne un caractère personnel plutôt que des sons isolés. Il peut construire des phrases de deux ou trois mots ; il utilise les pronoms « je, moi, tu », quoique parfois incorrectement. Lorsque l'enfant voit des images dans un livre, il peut en nommer au moins trois et il répond au « qu'est-ce que c'est? ». Il verbalise ses expériences les plus proches et il parle de ses activités pendant qu'il les vit. De plus, il donne son propre nom. Il comprend et demande une répétition d'un acte ou d'un objet qu'il a aimé, souvent par le mot « encore ».*

Situations

- utiliser des marionnettes ou toute autre ressource concrète susceptible d'aider l'enfant à revivre des expériences connues ;
- raconter des histoires simples et brèves mais susceptibles d'éveiller chez l'enfant un effort de réflexion ;
- organiser un jeu rythmé au cours duquel l'enfant doit utiliser un membre ou une autre partie de son corps pour exprimer l'acte demandé par le jeu, par exemple, la chanson « Savez-vous planter des choux? ».

Attitudes

- respecter le temps et la manière adoptés par l'enfant pour reproduire une expérience. Permettre toute liberté de style. Lorsque l'enfant imite dans son jeu des situations précises ou des objets particuliers, respecter cette initiative pour renforcer ainsi le processus de représentation symbolique. Par exemple, si l'enfant fait manger sa poupée, continuer sérieusement le jeu et en profiter pour encourager l'expression verbale ;

- revenir régulièrement sur des expériences passées par des moyens tels que les conversations, les chants, les jeux rythmés. Leur répétition fréquente permettra à l'enfant de les assimiler et de les reproduire spontanément. Donner toujours la raison pour laquelle on demande à l'enfant d'accomplir un acte précis ;

- répondre clairement à ses essais d'explication d'un événement ;

- nommer toujours les parties du corps de façon précise ;

- s'adresser à l'enfant avec un ton agréable, même pour lui donner un ordre, puisqu'il sera porté à imiter ce même ton pour communiquer ;

- écouter sans interrompre lorsque l'enfant se parle à lui-même. Ce geste constitue un exercice de langage et d'autodécouverte fondamentaux pour l'atteinte de l'autonomie.

mila boutan
l'âne et

Un à vingt-quatre mois

Les soins physiologiques

— alimentation
— hygiène
— sommeil

Note : *À cause de la relation étroite qui existe entre les soins physiologiques et les expériences sensorimotrices, socio-affectives et de langage, cet aspect est traité dans une perspective d'intégration visant à profiter de toutes les périodes de séjour au service de garde pour encourager un développement intégral harmonieux.*

Alimentation

Assurer la qualité de l'alimentation signifie respecter les conditions suivantes : a) valeur nutritive équilibrée et adaptée aux besoins alimentaires de chaque bébé ; b) variété d'aliments de façon à permettre l'assimilation de différentes vitamines ; c) présentation appétissante qui éveille l'intérêt du bébé ; d) attention particulière à la température et au goût du repas. En ce qui concerne la quantité de nourriture, il est important de considérer : l'appétit de l'enfant, la fréquence des repas, la taille du bébé, le poids et l'âge.

Situations

- offrir des portions en fonction des besoins de l'enfant;
- offrir une cuillère à chaque enfant au moment d'un repas collectif. L'usage d'une même cuillère pour plusieurs enfants constitue une source de transmission de maladies contagieuses.

Attitudes

- surveiller la quantité servie, car celle-ci peut décourager l'appétit de l'enfant. Mieux vaut répéter la quantité une autre fois que de lui servir d'emblée une grosse portion;
- garder toujours une attitude chaleureuse et encourageante durant cette période. Elle constitue une période privilégiée pour établir une relation de confiance entre l'enfant et l'éducateur;
- consulter les parents sur les habitudes alimentaires du bébé, afin d'encourager un comportement cohérent et d'aplanir les difficultés qui peuvent apparaître.

Organisation matérielle

- créer une ambiance détendue pendant le repas, parler et essayer de placer les enfants les uns devant les autres afin de favoriser l'imitation;

- n'installer les enfants à table que lorsque le repas est prêt à être servi, afin d'éviter l'impatience et la fatigue causées par une position assise prolongée.

Les premiers aliments solides sont plus éducatifs que nutritifs. Ils apportent un supplément au lait en ajoutant de nouveaux goûts et de nouvelles textures. Cependant, le besoin nutritif est encore secondaire par rapport à la priorité du lait.

Situations

- offrir les premiers aliments solides à la cuillère au lieu de les mélanger au biberon.

Attitudes

- favoriser davantage la consommation du lait lorsque le bébé commence à goûter aux aliments solides ;
- éviter toujours d'obliger un enfant à avaler les aliments solides ;
- présenter une variété de produits recommandés par le spécialiste et laisser à l'enfant le temps de se familiariser.

Maturité physiologique : *L'appétit varie en intensité pendant la journée en fonction du comportement de l'enfant. Il varie aussi d'âge en âge et en fonction des préférences alimentaires. À mesure que l'enfant grandit, son organisme exige une réduction du nombre de repas afin de lui permettre des périodes de sommeil plus prolongées et d'assurer ainsi une meilleure rétention des aliments.*

Attitudes

- préférer toujours nourrir le bébé quand il manifeste sa faim plutôt que d'établir des horaires rigides qui risquent de perturber son sommeil et, par conséquent, de créer inutilement des tensions ;
- observer la réaction de l'enfant devant les premiers aliments solides ;
- observer et respecter les fluctuations dans le processus de régularisation des besoins alimentaires du jeune enfant ;
- associer l'intensité d'appétit avec les expériences qui ont précédé la période de nutrition et avec le climat régnant au moment même de cette activité. Surveiller aussi ses périodes d'élimination ;
- éviter de forcer le bébé à manger lorsqu'il n'en manifeste pas le besoin, car cela peut provoquer des sentiments négatifs envers la personne qui l'oblige à manger et envers la nourriture elle-même ;
- garder toujours une attitude calme et chaleureuse vis-à-vis l'enfant qui est nourri ;

- éviter d'offrir des aliments solides au moment où l'enfant est trop affamé, car l'effort d'avaler est plus grand que celui de sucer. Offrir d'abord un peu de lait et passer ensuite au repas solide;

- encourager toute méthode utilisée par l'enfant pour s'auto-alimenter de l'assiette à la bouche. Ce qui compte, c'est l'effort et l'enthousiasme.

Organisation matérielle

- jouer une musique qui invite l'enfant à se détendre pendant qu'il mange;

- choisir une toute petite cuillère et la placer entre les lèvres de l'enfant en attendant qu'il suce le contenu, afin de lui permettre une dégustation graduelle de l'aliment.

Le manque d'équilibre entre la capacité d'absorption et celle de rétention chez le jeune bébé, qui est dû à une instabilité neuromotrice, provoque des régurgitations, des vomissements et des troubles gastriques dont la durée est relativement passagère. La tendance à vomir peut être provoquée par une sensibilité neuromotrice spécifique ou par des facteurs plus généraux de personnalité.

Situations

- placer le bébé dans une position semi-inclinée pendant et après le repas, afin de favoriser la rétention;

- assurer la présence du même éducateur, celui avec lequel l'enfant est le plus familiarisé, pour l'aider pendant cette période.

Attitudes

- prévoir tout le temps nécessaire pour le repas afin qu'il soit pris dans une atmosphère détendue et que l'enfant profite pleinement de la nourriture;

- consulter les parents sur les portions approximatives que l'enfant mange régulièrement et respecter ces portions;

- observer dans quelles circonstances le bébé vomit et la fréquence avec laquelle cela arrive.

Organisation matérielle

- créer un coin spécial tranquille pour la mère qui vient allaiter son enfant au service de garde (cela est particulièrement possible et à encourager dans les garderies situées en milieu de travail de la mère).

Activités d'apprentissage : *La transition entre les aliments liquides et les aliments solides se fait en fonction du niveau de maturité atteint par l'enfant, autant dans son système nerveux que dans son système digestif. Cette transition permet de développer les capacités intellectuelles et celles de manipulation dès que l'enfant commence à s'intéresser aux ustensiles, en les examinant et en essayant de s'en servir tout en s'amusant ; il devient progressivement capable de coordonner ses mouvements. Par ailleurs, dès le très jeune âge, pendant que l'enfant mange dans les bras de l'adulte, les mouvements de sa main montrent que son intérêt pour le biberon ou pour la cuillère s'éveille : il les tapote et il les manipule. Plus tard,* *assis sur sa chaise, l'acte de saisir et de renverser la nourriture accapare son attention. Le bébé essaie également de tenir seul sa cuillère et de mettre la main dans l'assiette.*

Grâce au développement de la préhension et de l'acte de lancer, le bébé essaie de s'exercer avec tout ce qui est à sa portée, sans distinction entre les jouets et la nourriture. Une fois que l'enfant peut marcher, son vif désir d'exercer ses capacités motrices rend la période du repas de plus en plus difficile, de même que son croissant désir d'autonomie qui se répercute jusque dans sa nutrition.

Situations

- profiter du repas pour stimuler la prise de conscience des gestes et des bruits reliés aux propriétés de certains aliments ;

- aider le bébé à tenir son biberon, car cela représente à la fois un début d'autonomie, ainsi qu'une occasion de sentir la température, le poids, la texture et la forme de la bouteille ;

- offrir vers le cinquième mois les premières dégustations de lait ou de jus dans une tasse qui bascule sans se renverser.

Attitudes

- respecter les différences individuelles de tempérament quant au style et au rythme adopté par chaque bébé pour prendre ses repas ;

- accorder une période d'apprentissage pour l'utilisation de tout nouvel ustensile pour manger. Le refus de manger peut être dû à une méconnaissance des propriétés de ce nouvel objet. Cependant, l'introduction graduelle des ustensiles devra continuer malgré un premier échec, tout en gardant une attitude chaleureuse et en encourageant les tentatives des enfants. Seule une répétition fréquente de l'expérience permettra à l'enfant d'acquérir l'habitude de s'en servir ;

- stimuler l'enfant pour qu'il prenne graduellement son biberon seul et qu'il le porte à la bouche ;

- permettre la manipulation de la nourriture, spécialement lorsque l'enfant essaie de la rendre à sa bouche. Cependant, éviter les tentatives de lancer les aliments et offrir un jouet à lancer au lieu de la nourriture ;

- éviter les extrêmes entre l'excès de permissivité et l'imposition rigide de restrictions disciplinaires ;

- accepter le fait que le jeune enfant a une tendance à bouger souvent pendant qu'il mange ; cela constitue une étape de coordination des mouvements et peut refléter son désir de manifester son autonomie ;

- nommer clairement les aliments offerts à l'enfant. Décrire verbalement les principales actions qui accompagnent le repas ainsi que les caractéristiques essentielles des aliments (sucré, mou, salé, etc.). Cependant, réduire la conversation au minimum quand le bébé présente quelques difficultés pendant cette période.

Organisation matérielle

- prévoir des cuillères supplémentaires afin d'en offrir une au bébé lorsqu'il voudra enlever celle de l'adulte ;

- placer les chaises hautes les unes en face des autres afin de stimuler les interactions entre les enfants ;

- essayer, dans la mesure du possible, d'alimenter le jeune bébé face à ceux qui commencent à atteindre un certain niveau d'autonomie.

Relation socio-affective : *À mesure que l'enfant atteint différents niveaux de maturité, la distance physique entre l'adulte et le bébé s'accentue de plus en plus. Par ailleurs, le comportement de l'enfant pendant la période de nutrition dépend de l'atmosphère plus ou moins détendue créée par l'éducateur.*

Situations

- rester à proximité du bébé quand il mange sur sa chaise et assurer le contact physique en lui tenant la main et en lui permettant de toucher les objets à sa portée, ainsi que de toucher l'adulte.

Attitudes

- valoriser davantage les expressions affectives lors du passage d'une forme d'alimentation à une autre, c'est-à-dire de l'allaitement au biberon. Dans le cas du sevrage imposé par l'arrivée du bébé à la garderie, nourrir le bébé dans les bras et s'en séparer physiquement de façon graduelle et en fonction de ses acquisitions motrices et sociales ;

- éviter d'accommoder le biberon avec des coussins pour que le bébé le prenne au lit avant qu'il soit capable de tenir le biberon dans ses mains. Encourager toujours les interactions entre le bébé et l'adulte pendant cette période ;

- s'exprimer par des gestes calmes et sans brusquerie, des mots d'encouragement, des sourires et des caresses ;

- éviter à tout prix d'enlever la nourriture comme moyen de punition d'un comportement survenu avant ou durant le repas, car l'enfant apprendra à associer la punition avec son alimentation et il pourra adopter une attitude négative vis-à-vis cette dernière ;

- éviter d'exercer des pressions sur un enfant qui ne peut ou ne veut pas manger davantage.

Organisation matérielle

- prévoir un aménagement détendu en réservant, dans la mesure du possible, un coin pour nourrir les très jeunes bébés qui requièrent plus de tranquillité que les bébés plus âgés ;

- assurer le confort matériel de l'éducateur autant que celui du bébé. Ainsi, si l'éducateur nourrit l'enfant sur lui, il faut qu'il ait une chaise permettant une posture reposante et, si le nourrisson mange sur sa chaise, il est important que lui et l'adulte restent près l'un de l'autre.

Un à vingt-quatre mois

Les soins physiologiques

Hygiène et élimination

La période de soins quotidiens permet une expérience sociale très importante. À travers ses gestes, durant la manipulation, l'éducateur exprime sa façon de communiquer avec l'enfant. Ainsi, ces diverses activités (toilette, habillage, mise au pot) peuvent être faites de façon très mécanique en donnant peu de soi-même ou, au contraire, elles peuvent refléter une attitude très positive envers les occasions d'apprentissage offertes au bébé.

Situations

- accorder une priorité à la toilette du bébé, et en particulier au changement de couche ;
- profiter de ces périodes pour maintenir des conversations avec le bébé ;
- noter la fréquence d'élimination car celle-ci deviendra graduellement un indice du rythme d'évacuation du bébé. La fréquence varie d'un enfant à l'autre.

Attitudes

- vérifier les couches du bébé dès le moment où il exprime un malaise ;
- surveiller le type de selles de l'enfant, car elles constituent un indice de la réaction aux aliments qu'on lui donne. Ainsi, si les selles constituent des petits fragments non digérés, il faudra introduire les nouveaux aliments plus progressivement. Si, par ailleurs, les selles montrent un peu de mucus, cela indique que la nourriture n'est pas suffisamment hachée ;
- éviter toujours de donner des laxatifs sans avis médical.

Organisation matérielle

- garder un trousseau d'hygiène individuel et bien identifié pour chaque enfant. Prévoir des casiers respectifs afin de ranger les vêtements de rechange et objets de toilette (savon, couches, serviettes, etc.).

Le contrôle des sphincters et de la vessie : *L'âge au cours duquel le contrôle des sphincters débute et se complète varie selon les conditions psychologiques et sociales de l'environnement. Il s'agit d'une maturité cérébrale qui permet de contrôler et de régulariser volontairement le système nerveux végétatif. Généralement, le commencement de l'apprentissage du contrôle des sphincters se fait au début de la deuxième année, et cet apprentissage n'est atteint qu'entre dix-huit et vingt-quatre mois.*

L'attitude plus ou moins permissive de l'éducateur pendant l'entraînement joue un rôle essentiel dans l'apprentissage. L'enfant semble prendre moins de temps et ce, de façon plus permanente, quand l'éducateur se montre chaleureux et compréhensif que lorsque l'entraînement se fait sévère.

Situations

- placer l'enfant au pot et rester avec lui en lui parlant, en jouant ou en chantant ;
- commencer à asseoir graduellement l'enfant au pot, tout en gardant un horaire régulier.

Attitudes

- demander aux parents le meilleur moment de mettre le bébé au pot, selon les habitudes d'élimination observées au foyer. Respecter ces horaires et inviter l'enfant régulièrement, c.-à-d. toujours au même moment, afin de favoriser la formation de l'habitude ;
- attendre que l'enfant ait atteint une maturité suffisante pour commencer l'entraînement à la propreté. Ce moment varie selon les enfants, mais il est possible de prendre comme point de référence le moment où l'enfant accepte volontairement de rester asis sur le pot pendant quelques minutes et celui où il réagit aux éloges de l'éducateur lorsqu'il a éliminé ;
- respecter les différences individuelles quant à la fréquence des éliminations et quant au comportement pendant cette période, tout en permettant à chaque bébé d'établir son propre rythme d'autorégulation ;
- essayer d'amener à la salle de bain un bébé dont l'entraînement au pot débute et l'asseoir près d'un enfant déjà entraîné, afin de favoriser l'imitation chez le plus jeune et de renforcer l'apprentissage des enfants plus âgés. Valoriser l'effort fourni par chacun ;
- encourager et manifester du plaisir chaque fois que le nourrisson élimine dans le pot ;
- éviter d'établir un système de compétition entre les enfants ou de ridiculiser un enfant qui éprouve une difficulté à contrôler ses sphincters ou sa vessie ;
- favoriser l'expression verbale pour annoncer l'arrivée ou la fin de l'acte d'élimination. Éviter cependant d'exercer des pressions pour que l'enfant annonce lorsqu'il a besoin d'éliminer ;
- éviter de montrer de la contrariété quand il a oublié d'annoncer son besoin et lui rappeler doucement qu'il doit avertir. L'apprentissage du contrôle se fera d'autant plus vite qu'il sera bien détendu et en sécurité avec les adultes ;
- laisser passer plusieurs semaines d'entraînement systématique avant que l'enfant commence à avertir, même s'il n'avertit qu'après s'être mouillé ;
- demander à l'enfant, périodiquement pendant la journée, s'il a besoin d'éliminer, ce qui l'encouragera à avertir. Le féliciter chaque fois qu'il a averti ;

- attendre que le nourrisson ait abandonné la salle de bain avant de laver le pot où il a éliminé, puisque le jeune enfant a de la difficulté à comprendre qu'il faut jeter le produit pour lequel il a reçu des stimulations et des compliments. Plus tard, quand l'apprentissage est plus avancé, il peut commencer à vider lui-même son pot et à faire couler l'eau.

Organisation matérielle

- créer une atmosphère détendue afin de donner toute sécurité à l'enfant pendant l'entraînement ;
- placer quelques pots ensemble dans la salle de bain afin de stimuler les échanges et l'initiation entre les enfants ;
- éviter de changer les pots de place, c'est-à-dire tantôt dans la salle de bain, tantôt dans les salles de jeu, etc., car l'enfant doit apprendre à associer petit à petit l'acte avec le milieu ;
- s'assurer que chaque pot est soigneusement lavé après usage. Garder hors de la portée de l'enfant les produits pour laver les pots, mais les ranger toujours de façon accessible à l'adulte.

Dès les premiers mois, l'enfant exprime son plaisir pour le bain. Il montre sa déception quand on l'en retire. À l'âge d'un an environ, lorsque le comportement devient de plus en plus imitatif, l'enfant essaie de se baigner ou de se laver tout seul, en prenant le savon, en enlevant le bouchon de la baignoire ou du lavabo, etc.

Situations

- prévoir, autant que possible, une période de bain aux bébés ;
- encourager le bébé à remuer ses jambes, ses bras et tout son corps lorsqu'il est dans l'eau, ou lorsqu'on fait sa toilette ;
- offrir à l'enfant le savon ou l'éponge pour qu'il essaie de se laver ;
- placer une pataugeuse en plastique pour les bébés capables de jouer seuls dans l'eau (après douze mois).

Attitudes

- s'informer auprès des parents de la fréquence des bains donnés à la maison et, suivant les cas, établir d'un commun accord un horaire de bains à donner pendant le séjour du bébé au service de garde ;
- placer cette activité aux moments où la plus grande partie du personnel est présente, afin d'accorder le temps nécessaire à chaque enfant pour profiter des expériences affectives, sensorielles, intellectuelles, motrices et sociales découlant de ces activités ;
- veiller à ce que les activités d'hygiène soient réalisées par la personne familière au bébé, de façon à assurer une continuité de rapports dans les périodes précédentes et celles de l'hygiène ;

- vérifier toujours la température de l'eau avant de placer le bébé dans la baignoire ;

- encourager toute manifestation démontrée par le nourrisson dans le fait qu'il reconnaît des objets et des parties du corps ;

- soutenir fermement la nuque du très jeune bébé qui ne peut pas encore se tenir seul ;

- encourager l'enfant à se regarder et à toucher les différentes parties du corps. Ne jamais rire de ses gestes ;

- nommer chaque partie du corps par son vrai nom ;

- attirer l'attention du bébé sur la température de l'eau, le nom des jouets, leur texture, etc., et encourager, à tout moment, le langage et l'observation ;

- prévoir des distractions agréables au moment de sortir l'enfant du bain, afin de réduire le degré de déception que peut causer la fin du bain ;

- respecter le désir d'autonomie et les premières tentatives en permettant à l'enfant de participer à sa toilette ;

- éviter de porter des jugements tels que : « Ne touche pas ton pénis, parce qu'il est sale » ;

- laisser le temps nécessaire pour que l'enfant prenne plaisir dans l'eau et s'amuse. Sortir cependant le bébé qui semble effrayé.

Organisation matérielle

- maintenir la température moyenne de la salle à un degré de chaleur suffisamment élevé et éviter les courants d'air pendant que le bébé est baigné ou lavé ;

- préparer l'eau de façon à ce qu'elle soit à la température normale du corps du bébé ;

- placer, dans la salle réservée au bain et à la toilette, un mobilier qui constitue une aide plutôt qu'un obstable à l'autonomie que doit acquérir l'enfant dans ce domaine. Par exemple, lorsque le lavabo est trop haut pour la taille du jeune enfant, des marches construites autour du lavabo lui permettront de saisir plus facilement le robinet ;

- rendre attrayant le coin ou la pièce réservée à l'hygiène par de la couleur, de la musique, tout en évitant l'excès de stimuli susceptibles de distraire l'enfant dans une tâche précise ou de le détourner des découvertes liées à son propre corps ;

- placer un grand miroir en face de la baignoire ou du lavabo afin de stimuler la structuration du schéma corporel ;

- offrir des objets qui flottent aux textures, aux formes et aux matériaux variés.

Habillage et déshabillage : *Cette période, ainsi que toutes les activités physiologiques, est particulièrement propice pour encourager certaines acquisitions de type social, telles que le sentiment de confiance envers l'éducateur, grâce au confort qu'il assure au bébé et à son souci de provoquer chez lui l'observation de l'environnement et de son propre corps.*

Situations

- jouer avec le bébé pendant la période de changement de couche et d'habillage ;
- inviter les enfants plus âgés à aider à habiller et à déshabiller les enfants plus jeunes, en leur donnant des tâches simples telles qu'enfiler une chaussette, une chemise, etc.

Attitudes

- profiter de ce moment pour le bercer, le faire rire et, en général, l'encourager à bouger ou à remuer ;
- parler à l'enfant et nommer tous les actes posés par l'éducateur pendant cette période afin de favoriser la compréhension des termes. Graduer la quantité d'informations données afin de faciliter le processus de compréhension ;
- encourager l'enfant dès le jeune âge à s'habiller et à se déshabiller par lui-même, en mettant à sa disposition des vêtements de tailles diverses. De plus, cela peut provoquer chez l'enfant l'observation sur les grandeurs et l'usage précis des différents vêtements.

Un à vingt-quatre mois

Les soins physiologiques

Repos-sommeil

Durant les six premiers mois de vie, le bébé fait généralement trois siestes par jour, dont la durée et les heures varient selon le rythme et le style de chaque enfant. Il est toutefois possible de prévoir une sieste durant la matinée, une après le dîner et une avant le souper. Ce même horaire relatif peut se prolonger jusqu'à l'âge d'un an, quoique souvent la dernière sieste soit déjà éliminée.

L'intérêt croissant pour rester éveillé et pour interagir avec l'environnement devient de plus en plus marqué pendant la deuxième année de vie, alors que l'enfant réduit généralement le nombre de siestes à une par jour, après le dîner.

Attitudes

- respecter toujours les différences individuelles en permettant à chaque enfant de se reposer aussi longtemps qu'il le requiert et en lui permettant de suivre son propre style pour atteindre la détente ;
- éviter d'imposer une posture déterminée pour se reposer, car cela va à l'encontre de la détente ;
- garder assez de flexibilité dans l'horaire des siestes de chaque enfant, c'est-à-dire adapter les heures selon leurs besoins au lieu de leur imposer un horaire fixe ;
- permettre à l'enfant d'apporter un objet de transition de la maison (couverture, poupée, ourson, etc.). Ce geste d'acceptation et de respect envers les besoins individuels de chaque enfant facilite, entre autres, l'adaptation au milieu de la garderie.

Organisation matérielle

- prévoir un milieu calme qui permette au bébé de dormir sans interruption ;
- créer un climat apte à la détente en fermant les rideaux et en laissant la salle suffisamment aérée. Il est très important pour le système nerveux de l'enfant que, sous aucun prétexte, le nourrisson soit réveillé par des stimuli de l'environnement, à savoir bruits, irrégularité de la température, etc. ;
- placer la salle de repos loin de la salle de jeu des enfants plus âgés ;
- jouer une mélodie calme pendant la période d'endormissement de l'enfant.

À mesure que l'enfant grandit, il associe la mise au lit à la séparation de la figure maternelle et il développe une tendance à résister au sommeil en prolongeant au maximum sa période d'éveil.

Situations

- chanter, jouer avec les mains, parler à l'enfant et le caresser favorise la détente en rassurant effectivement l'enfant.

Attitudes

- assurer toujours la présence d'une personne familière à l'enfant, capable de lui inspirer confiance. Si possible, cette même personne devrait le coucher et l'accueillir au réveil en lui offrant une grande dose d'affection ;
- réconforter aussitôt que possible le bébé qui pleure et chercher à trouver la cause de son chagrin ;
- réconforter le bébé par une présence chaleureuse lorsqu'il cherche des moyens pour garder la compagnie de l'éducateur. Le refus augmenterait sa tension ;
- chercher à distraire le bébé qui essaie de retenir l'attention de l'éducateur, mais sans l'exciter au point de le garder éveillé ;
- noter le style particulier que chaque enfant adopte pour se détendre et voir à ce qu'il puisse l'atteindre à sa manière (exemple : balancement du pouce, mouvement de la tête, se caresser avec la couverture, recherche d'objets significatifs, etc.) ;
- observer la durée des siestes et la façon de s'endormir puisque cela est indicatif du niveau d'adaptation du bébé à la garderie ;
- surveiller dès l'arrivée du bébé l'évolution de ses besoins de sommeil et, à partir de ces observations, lui établir un horaire flexible, capable de respecter son degré de maturité.

Un mécanisme de veille règle cette étape. L'enfant doit apprendre à se réveiller ainsi qu'à s'endormir. Grâce à l'acquisition progressive de la maturité, il finit par mieux se réveiller, sans perturbation, et le temps de veille augmente.

Attitudes

- assurer une présence immédiate lorsque l'enfant se réveille ;
- voir à ce que ce moment se développe dans un climat de détente pour faciliter le passage du repos à l'activité ;
- prévoir un temps de calme pour l'enfant avant d'entreprendre une nouvelle activité ;
- parler doucement à l'enfant et aux autres personnes de l'entourage.

Organisation matérielle

- éviter d'ouvrir les rideaux aussitôt que l'enfant se réveille;
- prévoir un temps d'adaptation à la lumière de la pièce;
- éviter le changement brusque de température;
- placer un tourne-disque et faire jouer de la musique douce que l'enfant pourra écouter pendant qu'il se réveille.

Des périodes de tension et de déséquilibre altèrent la phase de sommeil. Les facteurs suivants peuvent être des causes d'un déséquilibre dans le rythme du sommeil : douleur (mal à l'estomac, aux dents, fièvre, etc.) ; excès de fatigue en raison d'une mauvaise coordination des activités qui précèdent la période de sommeil ; difficulté d'adaptation à un nouveau milieu tel que la garderie ; anxiété à la suite de la séparation d'avec la figure maternelle ; inconfort par manque de propreté personnelle ; déficiences dans l'environnement physique ; immaturité de son système nerveux incapable de contrôler volontairement le cortex, faim, etc.

Attitudes

- encourager, lorsque cela est possible, les parents à venir coucher eux-mêmes leurs bébés pendant la période d'adaptation à la garderie. Si cela est irréalisable, il revient à l'éducateur de s'engager à faciliter cette période en cherchant les moyens d'atténuer la transition. L'essentiel réside dans la dose d'affection impliquée dans les jeux tranquilles et dans les échanges verbaux avec le bébé pendant le repos;
- surveiller la propreté, la nourriture et la santé physique et psychologique de l'enfant, facteurs essentiels pour faciliter la détente;
- prévoir une période de repos, particulièrement après un repas, un bain, un jeu actif ou une promenade. Par contre, l'éviter immédiatement après une période excitante et lorsque le nourrisson ne donne pas signe de fatigue;
- éviter des périodes prolongées de larmes ne servant qu'à augmenter la tension;
- éviter des changements brusques. Lorsque le changement se produit dans l'aménagement des salles, il faut que le personnel déjà familier aux bébés assure par sa présence continue une stabilité émotionnelle. Par contre, quand le changement se produit au sein du personnel, le milieu physique doit demeurer stable.

Organisation matérielle

- voir à ce que l'aménagement des salles de repos permette de recevoir l'enfant à « n'importe quel moment », et non seulement aux heures régulières de sieste. Pour ce faire, il faut que la salle de repos soit suffisamment insonorisée pour assurer un plein repos pendant que les autres enfants sont éveillés. Il est souhaitable de restreindre le placement des bébés dans une même salle à cinq enfants.

Éléments de réflexion pour l'éducateur

Évaluation personnelle

L'éducateur s'interroge sur ses propres façons d'être sur le plan professionnel. C'est à lui d'apporter les réponses.

— Quelle est la source principale de mon action quotidienne : moi et ma personnalité, moi et mon expérience, moi et mon interprétation des ressources théoriques ?

— Quelle signification a pour moi ce document ?

— Quelle valeur est-ce que j'accorde au rythme propre de l'enfant à l'intérieur du groupe ?

— Est-ce que je favorise l'exploration du milieu chez l'enfant ?

— Quelles formes d'interventions est-ce que j'exerce le plus souvent auprès du bébé ?

— Quels comportements souhaiterais-je améliorer chez moi ?

Observation de l'enfant

L'éducateur utilise tous les événements du quotidien pour observer et pour mieux connaître les enfants ou son groupe. C'est à lui de donner une valeur positive à ses observations.

— Comment ai-je l'habitude de réagir face aux pleurs des bébés ?

— Est-ce que j'accorde autant d'attention aux enfants plutôt tranquilles qu'aux enfants actifs ?

— Suis-je assez vigilant pour veiller à la santé physique et à la sécurité de l'enfant ; est-ce que je me préoccupe de ne pas laisser de petits objets à sa portée, de ne pas le laisser seul sur une table à langer, de ne pas utiliser la même cuillère pour plusieurs enfants, de placer la barrière devant l'escalier ?

— Comment se déroule la journée de chaque bébé si je veux tenir compte de leur grand besoin de découvrir, d'explorer, de bouger et de s'attacher à des personnes significatives ?

— Quelle proportion est-ce que j'essaie d'établir à l'intérieur des activités offertes à l'enfant pendant ses périodes de veille ?

— Comment est-ce que je réagis devant un conflit entre deux enfants ?

— Est-ce que je peux identifier les signes de langage verbal et gestuel de chacun des enfants dans mon groupe ?

— Suis-je assez attentif à ne pas exprimer mes remarques et commentaires concernant un enfant en sa présence ou devant les autres enfants du groupe ?

Interaction professionnelle

L'éducateur tient compte des autres adultes qui interviennent également auprès de l'enfant. C'est à lui d'amorcer des échanges.

— Quelle place occupent réellement les parents dans mon fonctionnement quotidien ?

— Suis-je à l'aise devant la place prise par les parents ?

— Est-ce que les parents semblent, par ailleurs, se sentir à l'aise et suffisamment acceptés dans la garderie pour venir librement quand cela leur convient ?

— Est-ce que je cherche à échanger avec les autres éducateurs de la garderie sur des questions professionnelles, afin de prendre des décisions concertées sur l'approche pédagogique ?

— Suis-je capable de remplacer, à la dernière minute, l'éducateur responsable d'un autre groupe d'enfants de cette garderie ?

— Est-ce qu'il m'arrive de discuter du problème d'un enfant devant d'autres adultes ?

— Quel est mon rapport avec les différents intervenants adultes dans la garderie ?

— Quelles occasions est-ce que je me donne pour me ressourcer professionnellement ?

Résumé

Les deux premières années de vie sont maintenant reconnues comme des années cruciales dans le développement de la personne. La découverte progressive et constructive de sa propre identité permet à l'enfant de bien se situer dans le milieu qui l'entoure. De sa relation constante avec des adultes significatifs (parent(s) et éducateur de la garderie) découlera l'estime que l'enfant aura de lui-même ; ce sont les fondements mêmes de sa personnalité naissante.

C'est aussi par l'interaction avec les adultes et avec les autres enfants de la garderie que le nourrisson développe des compétences de base sur le plan intellectuel (organisation de la pensée et du langage), sur le plan moteur (coordination de l'ensemble du corps), sur le plan social (découverte de la place des « autres » par rapport à lui-même) et sur le plan émotif (expression des sentiments).

La dépendance inévitable de l'enfant envers l'adulte pendant ces premières années rend donc le rôle du service de garde doublement complexe et prépondérant. En effet, le comportement de chaque adulte qui établit une relation stable avec l'enfant constitue pour celui-ci un modèle de première importance, car le bébé est particulièrement vulnérable à cet âge.

Stimuler l'enfant, établir avec lui des liens affectifs chaleureux, maintenir une grande concertation entre les différents adultes significatifs (parents, éducateurs de la garderie, grands-parents, gardiens, etc.) sont des principes essentiels à sauvegarder afin de créer pour lui un milieu de vie positif. Quel que soit le service de garde retenu, il est essentiel de respecter ces différentes composantes.

En ce sens, un vrai service de garde de qualité constitue à la fois un support à la famille et une expérience complémentaire de développement mise à la disposition de l'enfant au cours de cette première étape de sa vie.

Conclusion

Tout au long de ce document, le souci de traiter l'enfant d'âge préscolaire comme un tout harmonieux en constante évolution et interaction avec son environnement demeure très présent. Son environnement étant la famille, la garderie et le milieu où il habite, il serait juste de s'attarder aux éléments d'interaction de la famille avec la garderie ainsi qu'à l'importance pour l'enfant de vivre des expériences variées en dehors du foyer. Nous considérons cependant que ces sujets méritent une attention particulière qu'on ne pourrait minimiser en quelques paragraphes dans cette série. Par ailleurs, nous n'avons pas développé en détail des sujets tels que la participation des parents, les liens garderie-école, les besoins particuliers des enfants et du personnel allophones, ni des mesures particulières à prévoir pour les enfants souffrant d'un handicap sensoriel, physique ou mental. Cependant, le lecteur est encouragé à essayer de déceler, d'adapter et d'améliorer des situations susceptibles de l'aider pour des cas particuliers. Il est à souhaiter que d'autres documents s'ajoutent à cette série, pour permettre d'approfondir les thèmes qui sont moins développés dans le présent document.

Enfin, la présentation sommaire de la dimension des activités physiologiques est délibérée ; ce thème est traité dans le présent document dans une perspective plus globale que strictement descriptive, de manière à rappeler au lecteur l'importance également significative de cet aspect de la croissance. Le lecteur trouvera aussi, dans la liste de documents disponibles à l'Office des services de garde à l'enfance, une série d'ouvrages portant sur la nutrition et sur les habitudes alimentaires.

Bien que l'impact possible de la garderie sur le développement de l'enfant ne fasse pas encore l'unanimité, il est déjà reconnu que la qualité des soins reçus et la qualité du climat psychologique sont deux pôles essentiels qui déterminent le type d'expérience vécue à la garderie. En conséquence, miser sur la valeur positive des interventions éducatives et du caractère social de ce milieu de vie collectif constitue pour l'enfant une voie certaine vers des gains à long terme.

RÉFÉRENCES

AIMARD, Paule, *L'Enfant et le langage,* Villeurbanne, France, Éditions Simep, 1972.

BARCLAY MURPHY, Lois, « Children under Three Finding Ways to Stimulate Development, issues in research, dans *Children* 16, 46-52, 1969.

BERGES, J. et LEZINE, I., *Test d'imitation des gestes,* Paris, Masson & Cie, 1963.

BETSALEL-PRESSER, Raquel, *Centre de jour éducatif : implications psycho-pédagogiques d'un programme destiné aux enfants de moins de deux ans,* Thèse de doctorat présentée à la Faculté des études supérieures de l'Université de Montréal, 1974, (inédite).

BRIDGES, K.M.B., « Emotional Development in Early Infancy », dans *Child Development* 3, 1932, 324-341.

CALDWELL, Bettye M., « What Is the Optimal Learning Environment for the Young Child ? », dans *American Journal of Orthopsychiatry,* 37, 1967, pp. 8-21.

CENTRE NATIONAL D'INFORMATION SUR LA GARDE DE JOUR (Le), *La Garde de jour des enfants,* Ottawa, Direction du régime d'assistance publique du Canada, 1973.

CLOUTIER, R. et L. DIONNE, *L'Agressivité chez l'enfant,* Montmagny, Edisem, Le Centurion, 1981.

COMMISSION DES ÉCOLES CATHOLIQUES DE QUÉBEC, *Psychomotricité-maternelle 4 ans : Document de travail destiné aux jardinières des classes maternelles — 4 ans,* Québec, 1973.

CRATTY, J. Bryan, *Perceptual and Motor Development in Infants and Children,* Londres, MacMilan, 1970.

DOLL, E. *Vineland Social Maturity Scale Circle Pines,* Minnesota, American Educational Guidance Services, 1953.

ERIKSON, E.H., *Enfance et Société,* Neufchâtel, Delachaux et Niestlé, 1959.

EVANS, E.B., Beth. SHUB and Marlene WEINSTEIN, *Day Care,* New York, Beacon Press, 1971.

FEIN, Greta and Alison CLARKE-STEWART, *Day Care in Context,* New York, Wiley, 1973.

GAGNÉ, G. et M. PAGE, *Études sur la langue parlée des enfants québécois,* Montréal, Presses de l'Université de Montréal, 1981.

GARON-DUPONT, Denise, *Les étapes du développement de l'enfant de la naissance à six ans,* document inédit préparé pour le comité conjoint du ministère des Affaires sociales, du ministère de l'Éducation et du ministère de l'Immigration sur les services de garde, Gouvernement du Québec, 1975.

GESELL, A. et F.L. ILG, *L'enfant de 5 à 10 ans,* Paris, Presses universitaires de France, 5e édition, 1967.

GESELL, A., *Le Jeune Enfant dans la civilisation moderne,* Paris, P.U.F., 11e édition, 1980.

GETTY, L. et M. LEMAY, *Prévenir le bégaiement, c'est possible,* Longueuil, Prolingua, 1980.

GORDON, IL., *Baby Learning Through Baby Play,* New York, St. Martin's Press, 1970.

GOUIN-DÉCARIE, Thérèse, « Intelligence et affectivité chez le jeune enfant », dans *Actualités pédagogiques et psychologiques,* Neufchâtel, Delachaux et Niestlé, 1962.

GOUIN-DÉCARIE, Thérèse et Marcelle RICARD, « La Socialisation du nourrisson », dans *La Recherche,* 139, décembre 1982.

GRIFFITHS, R., *Record Form for Use with the Griffiths' Mental Development Scale for Testing Babies from Birth to Two Years,* Londres, Child Development Research Center, 6e édition révisée, 1965.

GRIFFITHS, Ruth, *The Abilities of Young Children,* Londres, Child Development Research Center, 1970.

HONING, Alice, S. and R.J. LALLY, *Infant Caregiving,* New York, Media Projects incorporated, 1972.

KEYSERLING, Mary D., *Windows on Day Care,* New York, National Council of Jewish Women, 1972.

KRITCHEVSKY, Sybil, Elisabeth PRESCOTT and Lee WALLING, *Planning Environments for Young Children - Physical Space,* Washington, National association for the education of young children, 1969.

LEACH, P., *Votre enfant de la naissance à l'école,* Paris, Albin Michel, 1979.

LEVY, Janine, *L'éveil du tout-petit,* Paris, Éditions du Seuil, 1972.

LEZINE, Irène, « Rôle des jeux et des jouets dans la vie de la crèche », dans *Les soins aux enfants dans les crèches* (pp. 99-107), Cahiers de santé publique n° 24, Genève, Organisation mondiale de la santé, 1965.

LEZINE, Irène, *Psychopédagogie du premier âge,* Presses universitaires de France, Paris, 2e édition révisée, 1969.

MINISTÈRE DE L'ÉDUCATION, *Guide pédagogique : Le langage au préscolaire,* Gouvernement du Québec, Direction générale des moyens d'enseignement, 1982.

PAINTER, Geneviève, *Teach Your Baby,* New York, Simon and Schuster, 1971.

PIAGET, J., *La Naissance de l'intelligence chez l'enfant,* Actualités pédagogiques et psychologiques, Neufchâtel, Delachaux et Niestlé, 6e édition 1968, 1936.

PIAGET, J., *La Construction du réel chez l'enfant,* Actualités pédagogiques et psychologiques, Neufchâtel, Delachaux, 4e édition 1967, 1937.

PIAGET, J., *La Formation du symbole chez l'enfant. Imitation, jeu et rêve. Imitation et représentation,* Actualités pédagogiques et psychologiques, Neufchâtel, Delachaux et Niestlé, 4e édition 1968, 1945.

PIAGET, J., *Six études en psychologie,* Genève, Éditions Gonthier, 1964.

PICKLER, E., *Le Développement moteur des enfants,* Paris, Presses universitaires de France, 1979.

PIERRE-JOLY, Régine, *Programme de développement psycholinguistique, Rapport de recherche,* Bureau de psychologie, C.E.C.M., 1978.

PRESCOTT, Elizabeth, Elizabeth JONES and Sybil KIRTCHEVSKY, *Day Care as a Child-Rearing Environment,* Vol. II, Washington, National association for the education of young children, 1972.

PROVOST, M., D. GARON et C. LARSEN, *Impact des garderies sur les jeunes enfants. Où va le Québec ?* Avis sur les services de garde, Comité de la santé mentale du Québec, ministère des Affaires sociales du Québec, 1983.

REYMOND-RIVIER, Berthe, *Le Développement social de l'enfant et de l'adolescent,* Bruxelles, Mardaga, 1977.

RICIUTTI, M.N. and A. WILLIS, *A Good Beginning for Babies. Guidelines for Group Care,* National association for the education of young children, Washington, D.C., 1975.

ROBINSON, H.B., « From Infancy Through School », dans *Children,* n° 16, 62, 1969.

STEVENS, Karen, « Equipping and Arranging a Room for Kindergarten », dans Sylvia Sunderlin, Nan Gran (Eds.) : *Housing for Early Childhood Education* (pp. 53-57), Washington, Association for childhood education international, 1968.

VAYER, Pierre, *Le Dialogue corporel: l'action éducative chez l'enfant de 2 à 5 ans,* Paris, Éducation psychomotrice, 1971.

VINEL, Claude, *Les Jeux et l'enfant de 5 à 12 ans,* Paris, Amphora, 1980.

WHITE, B.L., *The First Three Years of Life,* New York, Avon, 1978.

WOLFF, P.H., « What We Must and Must not Teach our Young Children from What We Know About Early Cognitive Development », dans *Clinics in Developmental medicine,* 33, 1969, pp. 7-19.

YARROW, L.J., « Mesures et définitions des effets du milieu pendant la toute première enfance », dans *Les Soins aux enfants dans les crèches* (pp. 145-154), Cahiers de santé publique n° 24, Genève, Organisation mondiale de la santé, 1965.

ZAZZO, René *et al., Manuel pour l'examen psychologique de l'enfant,* Tome I, Suisse, Delachaux et Niestlé, 1958.

Lectures recommandées

CLOUTIER, R. et R. TESSIER, *La Garderie québécoise,* Québec, Les Éditions Laliberté, 1981.

CLOUTIER, R. et L. DIONNE, *L'Agressivité chez l'enfant,* Montmagny, Édisem Le Centurion, 1981.

COHEN, D., *Faut-il brûler Piaget ?,* Paris, Retz, 1981.

DENNER, A. et J. DANA, *L'Environnement de l'enfant,* Paris, Seuil, 1973.

DE SAUSSOIS, N., *Activités en ateliers à l'école maternelle organisées / animées*, Collection Pratique pédagogique, numéro 27, Paris, Armand Collin, 1980.

DE SAUSSOIS, N., DUTILLEUL, M.B. et GILABERT, H., *Les enfants de 2 à 4 ans à l'école maternelle,* Collection Pratique pédagogique, numéro 40, Paris, Armand Collin, 1983.

DE SAUSSOIS, N., *Le temps qu'il fait, le temps qui passe, Activités pour les ateliers à l'école maternelle,* Collection Pratique pédagogique, numéro 36, Paris, Armand Collin, 1983.

LEACH, P., *Votre Enfant de la naissance à l'école,* Paris, Albin Michel, 1979.

LEWIS, D., *Le Langage secret de votre enfant,* Paris, Belfond, 1980.

MONTAGNER, H., *L'enfant et la communication,* Paris, Permond-Stock, 1978.

PAINTER, G., *Guide des activités du tout-petit,* Paris, Calmam-Levy, 1973.

Liste des publications de l'Office des services de garde à l'enfance

Brochures d'information (Disponibles en version anglaise)

- Choisir un service de garde
- Offrir un service de garde
- Travailler en service de garde

Feuillets d'information (Disponibles en version anglaise)

- L'aide financière aux parents
- Les subventions aux services de garde
- La formation du personnel de garde des garderies

Répertoire des services de garde en garderie, en milieu familial reconnus par une agence et en milieu scolaire

- Où faire garder nos enfants? 1989-1990

Périodique bimestriel distribué sur demande d'abonnement

- Petit à Petit
- Index du Petit à Petit, octobre 1989

Collection «Études et recherches»

- À propos des garderies, Situation des garderies au Québec en 1985. DUMAIS, France, *avec la collaboration de* Suzanne BOUCHARD et Michèle DORBES, (1986, 193 p.), volume 5

Collection «Diffusion»

- Programme d'intégration éducative famille-garderie. FALARDEAU, Isabelle et Richard CLOUTIER, (1986, 172 p.), volume 2
- L'utilisation des services de garde au Québec. PAYETTE, Micheline et François VAILLANCOURT, (1984, 140 p.), volume 1
- La garderie en bas âge, perspectives bio-sociales sur les relations humaines pendant la jeune enfance. Ouvrage collectif sous la direction de F.F. STRAYER, (1986, 96 p.), volume 3

Résumés de politique

- La politique d'intégration des enfants handicapés dans les services de garde (1986, 28 p.)
- La politique de l'Office des services de garde à l'enfance au regard de la gestion des ressources humaines dans les services de garde (1987, 39 p.)

Divers

- Conseils pratiques à l'intention des haltes-garderies BOURGAULT, Louise, (1988, 6 feuillets)

Office des services de garde à l'enfance
100, rue Sherbrooke Est
Montréal (Québec)
H2X 1C3

Téléphone
Pour les appels provenant de la région de Montréal: (514) 873-2323
Pour les appels provenant de l'extérieur de la région de Montréal: 1-800-363-0310

Publications concernant la petite enfance et les services de garde vendues aux Publications du Québec

Collection « Ressources et petite enfance »

- Entrez dans la ronde… l'intégration des enfants handicapés dans les services de garde. BAILLARGEON, Madeleine, (1986, 139 p.)
- La garderie, une expérience de vie pour l'enfant. BETSALEL-PRESSER, Raquel et Denise GARON, (1984, 121 p., 126 p., 122 p.)

  Volet 1 : « L'âge de la recherche et de l'identification de 1 mois à 24 mois »

  Volet 2 : « L'âge de la démarche vers l'autonomie de 2 à 4 ans »

  Volet 3 : « L'âge de la conquête de l'initiative de 4 à 6 ans »

- La santé des enfants… en services de garde éducatifs. LAROSE, Andrée. (2000, 288 p.)

Divers

- Faire garder ses enfants au Québec… une histoire toujours en marche. Office des services de garde à l'enfance, (1990, 120 p.)
- Jouer, c'est magique… Programme favorisant le développement global des enfants. Ministère de la Famille et de l'Enfance. Tome 1, (1998, 173 p.) et Tome 2, (1998, 216 p.)
- Programme éducatif des centres de la petite enfance. Ministère de la Famille et de l'Enfance, (1997, 38 p.)

Ressources pour la petite enfance

Centre de la petite enfance/Hull
45, rue Ducharme
Hull (Québec)
J8Y 3P7
(819) 778-3527

Comité petite enfance
388, rue Lamarre
Longueuil (Québec)
J4J 1T2
(514) 463-2850
(CLSC Longueuil est)

Service de prêt de matériel pour nourrissons
2, 7e Rue, C.P. 790
Forestville (Québec)
G0T 1E0
(418) 587-2212
(CLSC de Forestville)

Association canadienne pour la santé mentale
550, rue Sherbrooke ouest
Suite 1080
Montréal (Québec)
H3A 1B9
(514) 849-3291

Programme éducatif Passe-Partout
600, rue Fullum
8e étage
Montréal (Québec)
H2K 4L1
(514) 873-4670

Centres anti-poison

Hôpital Sainte-Justine
3175, chemin Côte Sainte-Catherine
Montréal (Québec)
H3T 1C5
(514) 731-4931

Hôpital de Montréal pour enfants
2300, rue Tupper
Montréal (Québec)
H3H 1P3
(514) 937-8511

Centre hospitalier de l'université Laval
2705, boul. Laurier
Sainte-Foy (Québec)
G1V 4G2
(418) 656-8090

Service consultatif sur le cadre de vie de l'enfant
Bureau national
Rue Albert
Ottawa (Ontario)
K1A 0P7

Achevé d'imprimer en février 2003
sur les presses de l'imprimerie
AGMV / Marquis inc.
à Montmagny